JN184224

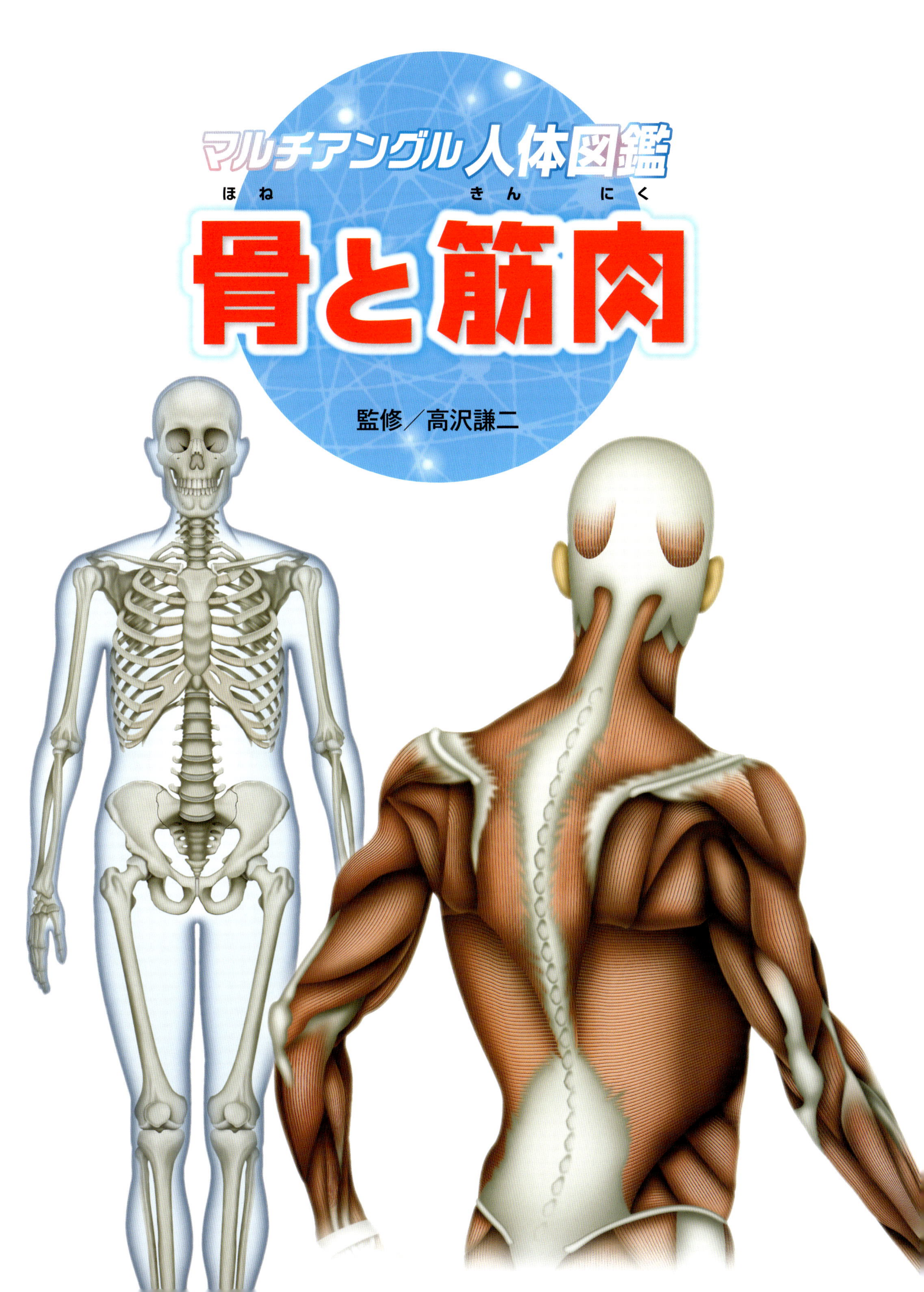
マルチアングル人体図鑑
骨と筋肉
監修／高沢謙二

□監修者紹介
高沢謙二（たかざわ　けんじ）
東京医科大学名誉教授、東京医科大学病院健診予防医学センター特任教授、信濃坂クリニック院長、北京大学客員教授。東京医科大学卒業。長年にわたって心臓病や高血圧の予防と治療に取り組んでいる。「血管年齢」という指標の考案者。著書に、『声に出して覚える心電図』（南江堂）、『動脈硬化を予防する！　最新治療と正しい知識』（日東書院本社）ほか多数。

ロボットがかなわないすぐれた部品、骨と筋肉

二足歩行のロボットが進化して、人間とそっくりな動きができるようになってきました。でも、ロボットの部品は、人間のからだの“部品”とはあまり似ていません。人間のからだの土台は、200以上の軽くて強い骨と、600以上のじょうぶな筋肉という、たくさんのすぐれた部品でできています。精巧なロボットでも、どことなく動きがぎこちなかったり、あぶなっかしく見えたりするのは、骨や筋肉ほど優秀な部品でつくられていないからかもしれません。

骨も筋肉も、ひとつひとつに個性があります。この骨はなぜこんな形をしているのか、この筋肉はどんな動きをするときに必要なのか——。ふだんは皮膚の下にかくれている「骨と筋肉」の世界をのぞいてみましょう。

マルチアングル人体図鑑 **骨と筋肉**

目次

からだを支える
全身の骨 …… 4

強くて軽い！
骨の構造 …… 6

からだを動かす
全身の筋肉 …… 8

束が束になっている！
骨格筋の構造 …… 10

骨と骨をつないで動かす
全身の関節 …… 12

上肢を形づくる
肩・腕・手の骨 …… 14

上肢を動かす
肩・腕・手の筋肉 …… 16

体重を支えて歩く
脚・足の骨と筋肉 …… 18

心臓や肺を守り、呼吸を助ける
胸〜腹の骨と筋肉 …… 20

上体を支え、大切な神経を守る
背中の骨と筋肉 …… 22

胴と脚をつなぐ＆おなかの器官を守る
腰の骨と筋肉 …… 24

脳と感覚器を守る＆表情をつくる
頭・顔の骨と筋肉 …… 26

いのちのために自動的に動く
不随意筋 …… 28

さくいんと用語解説 …… 30

からだを支える

全身の骨

人間の骨は、背骨を中心にして、頭、胸、腰、腕、脚などの骨がつながり、からだの枠組みをつくっている。この枠組みを**骨格**といい、からだは骨格で支えられている。骨には、からだの中のやわらかい器官を守るやくわりもある。たとえば頭蓋骨は脳を守っているし、肋骨は心臓や肺を守っている。

人のからだの土台を形づくっているのは、そんなふうに少しずつちがうやくわりをもった、たくさんの骨だ。

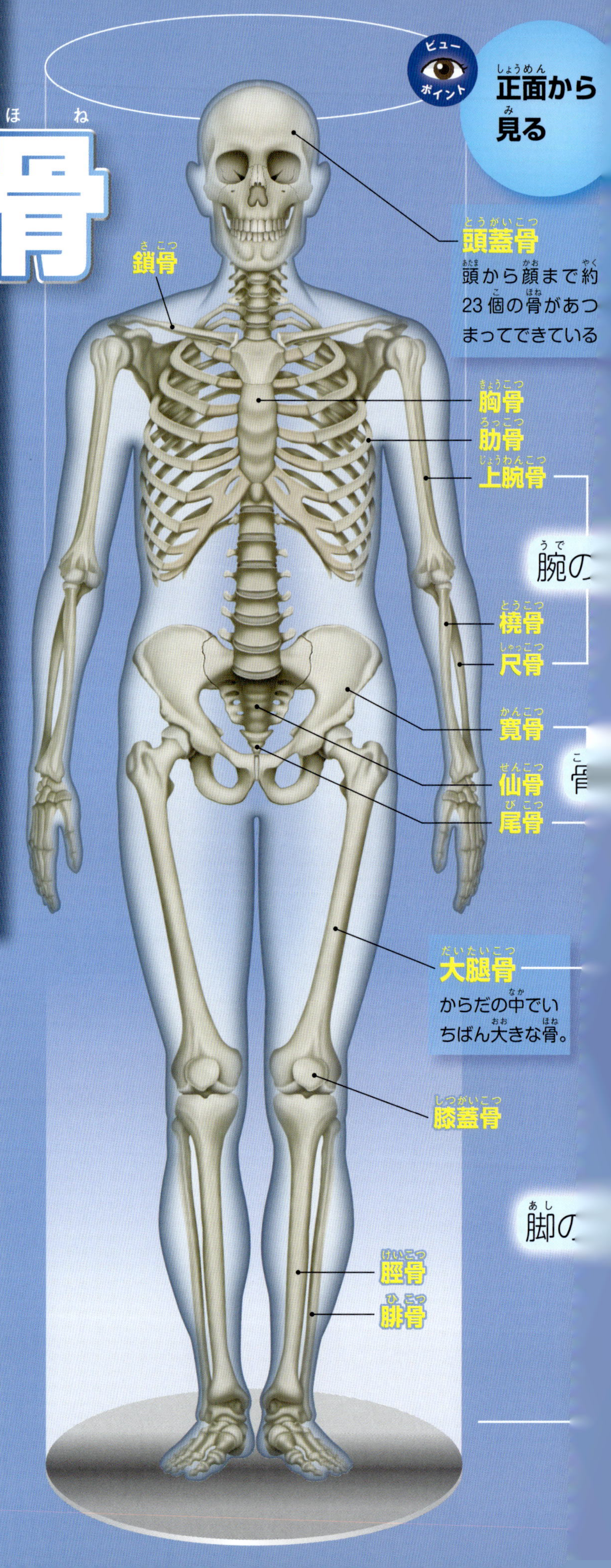

人間の骨の数は206個くらい！

骨の大きさや形はさまざまだ。いちばん大きな骨は、太ももにある大腿骨で、長さは身長の4分の1くらい。いちばん小さな骨は、耳の中にあるあぶみ骨という変わった形の骨で、大きさは3mmほどしかない（→P6）。

人のからだには、206個くらいの骨がある。6ページの絵で数えられるだろうか？　ただし、骨の数は人によってちがいがあるので、ちょうど206個とはかぎらない。ぜんぶを合わせた骨の重さは体重の5分の1くらいだ。

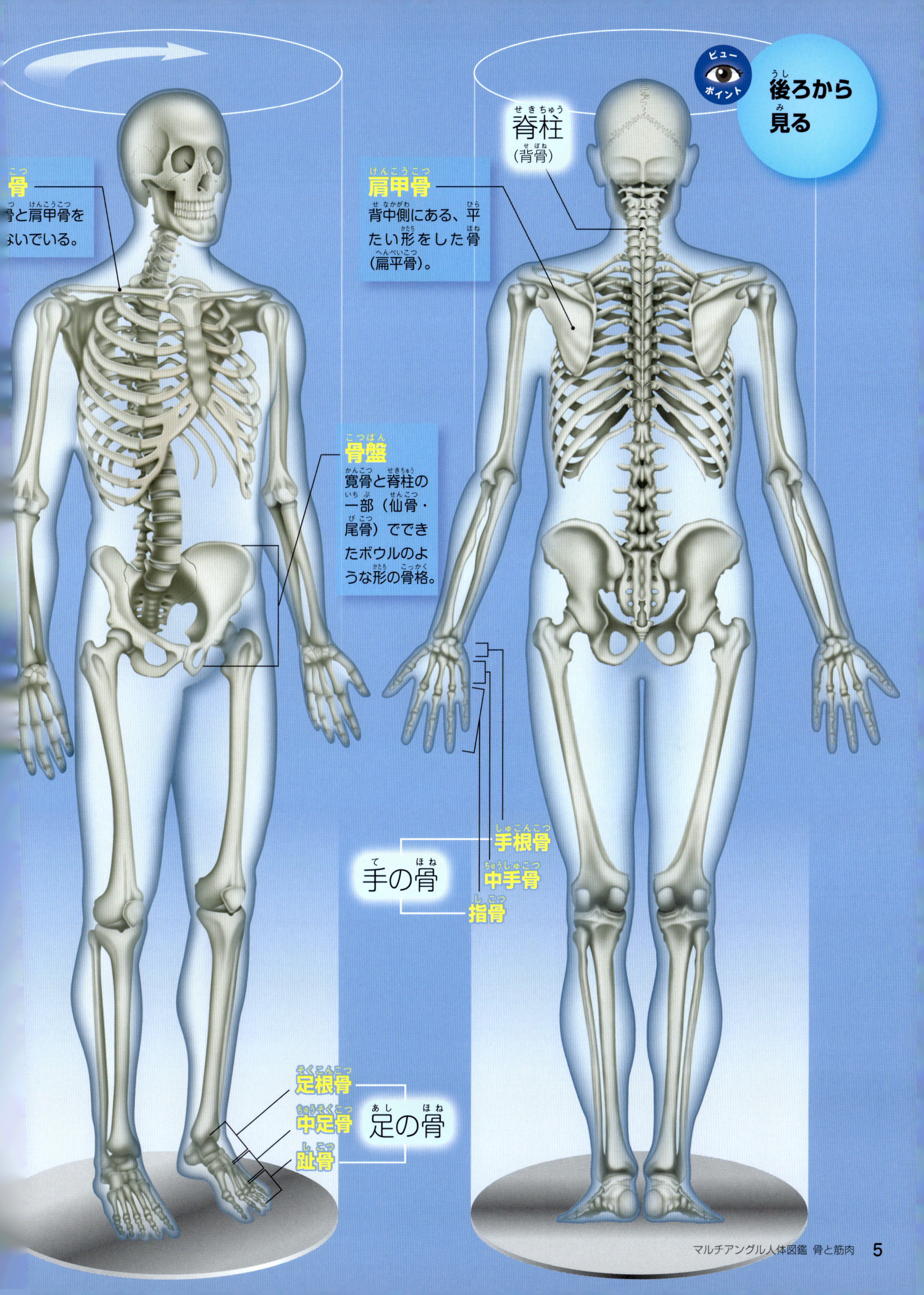
骨
骨と肩甲骨を
ないでいる。
骨盤
寛骨と脊柱の一部（仙骨・尾骨）でできたボウルのような形の骨格。
足根骨
中足骨
趾骨
足の骨
ビュー ポイント
後ろから見る
脊柱
（背骨）
肩甲骨
背中側にある、平たい形をした骨（扁平骨）。
手根骨
中手骨
指骨
手の骨

強くて軽い!

骨の構造

骨は、同じ重さの鉄とくらべると6倍も強い。つまり、軽くてじょうぶということだ。その秘密は骨の構造にある。

骨の外側は、密度が高くてかたい**緻密質**の層、内側はスポンジのようにすきまが多くて軽い**海綿質**の層でできている。

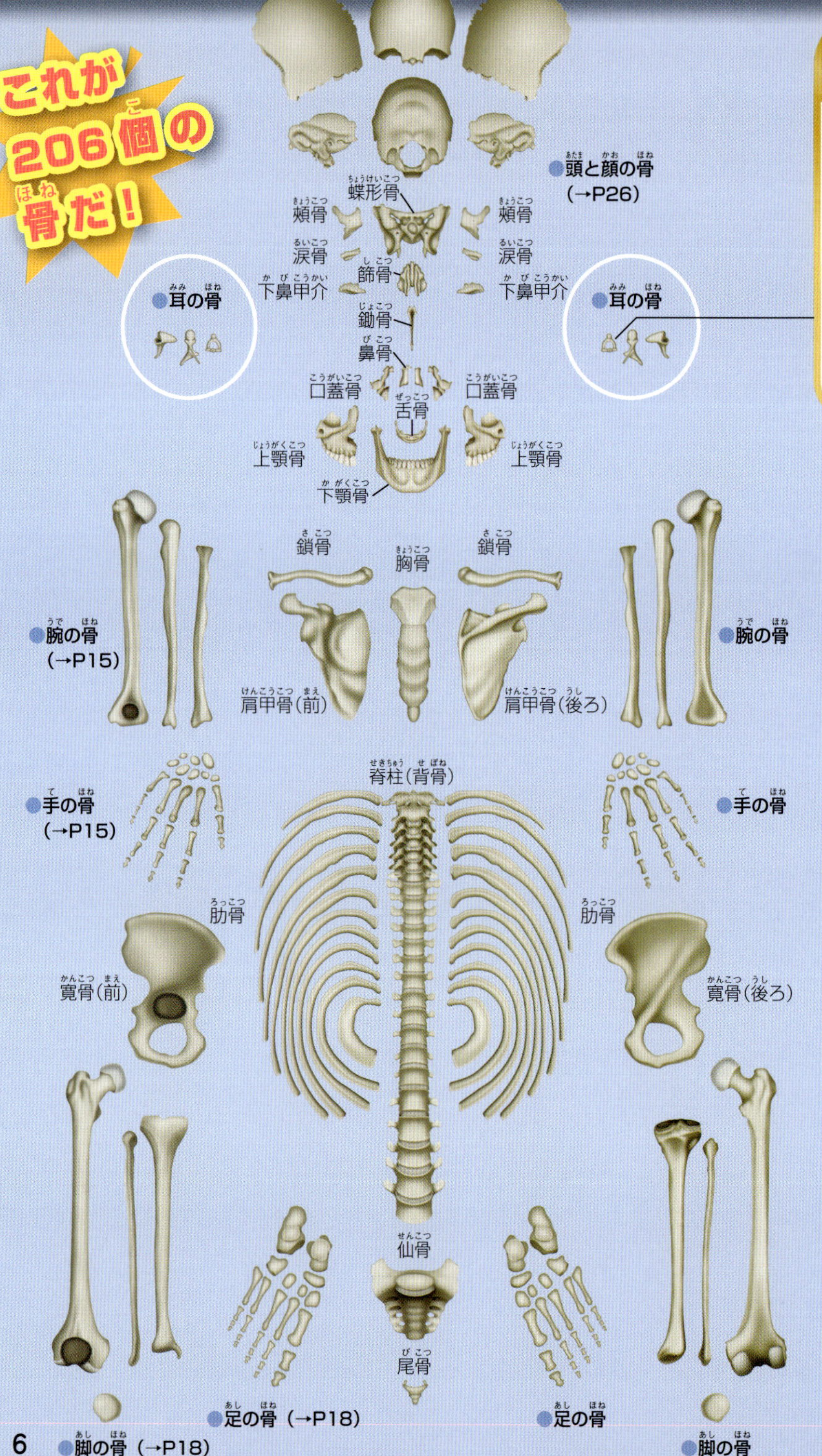

いちばん小さな骨、「あぶみ骨」

馬に乗るときに足を乗せる、あぶみという装具がある。耳の中にあるこの小さな骨は、形があぶみに似ていることからあぶみ骨と名づけられた。

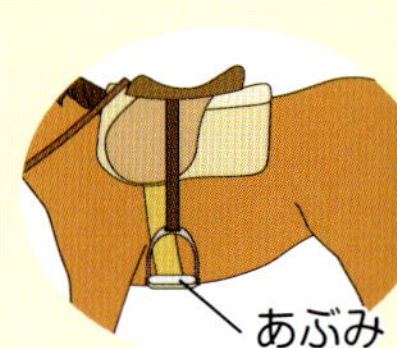

骨幹

長骨の中央部のまっすぐなところ。緻密質が厚く、内側に薄く海綿質の層がある。

血管

骨に栄養を送っている。

骨を形で分類すると……

腕や脚の骨のように長い棒状の**長骨**、手首などにある石ころのような形の**短骨**、肩甲骨など平たい形の**扁平骨**などに分けられる。

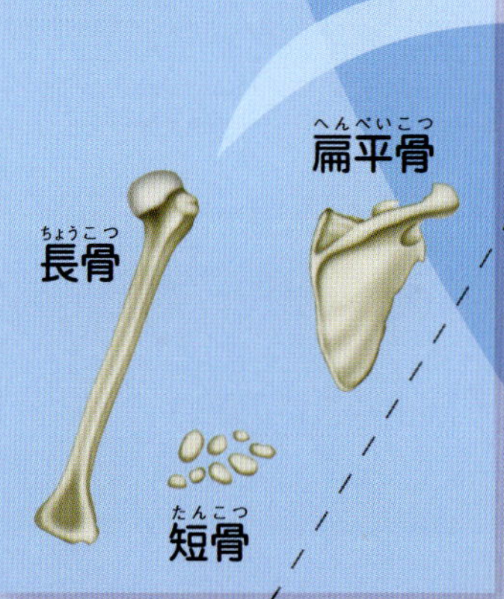

骨の中心には髄腔という空洞もある。そして、髄腔の中や海綿質のすきまは、骨髄というやわらかい組織で満たされている。ただのかたい棒ではないのだ。骨髄には、血液をつくるという重要なやくわりもある。

骨はいつも生まれ変わっている

骨は、じつは毎日、破壊されている。破骨細胞が古くなった骨をとかすからだ。そのかわり、とけた部分には骨芽細胞がくっつき、いっしょにカルシウムをつけて、新しい骨をつくりだす。骨折した骨が元にもどるのも、このしくみのおかげだ。破骨細胞のしごとに骨芽細胞のしごとが追いつかないと、骨はスカスカになってくる。これは骨粗鬆症という病気で、男性より女性がなりやすい。

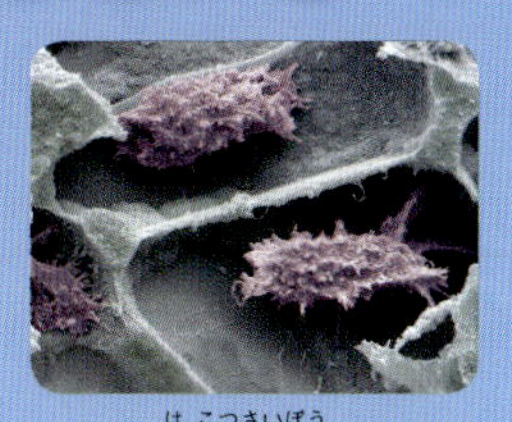
破骨細胞

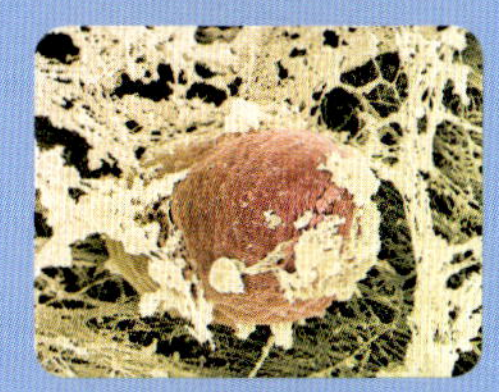
骨芽細胞

ビューポイント 長骨の中を見る

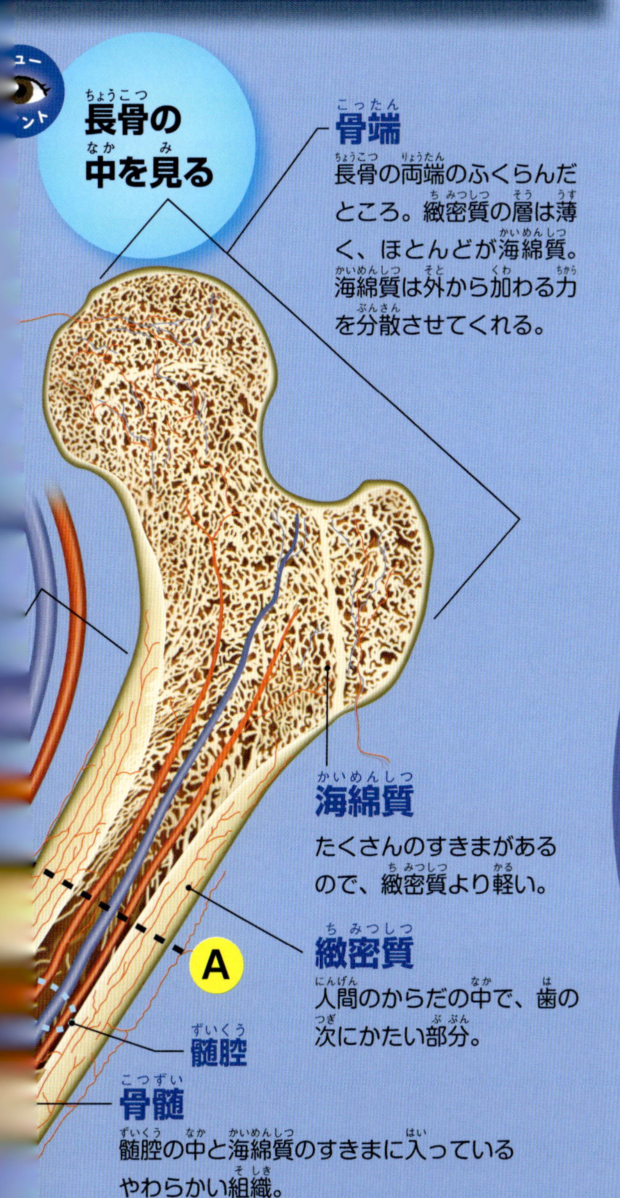

骨端
長骨の両端のふくらんだところ。緻密質の層は薄く、ほとんどが海綿質。海綿質は外から加わる力を分散させてくれる。

海綿質
たくさんのすきまがあるので、緻密質より軽い。

緻密質
人間のからだの中で、歯の次にかたい部分。

髄腔

骨髄
髄腔の中と海綿質のすきまに入っているやわらかい組織。

Aの断面を拡大

血管
血液を運んで骨に栄養と酸素をとどけ、不要なものを運びだす。

ハバース管
ハバース層板の中心にある管。この中をごく細い血管がとおっている。

骨膜
骨のいちばん外側をおおっているじょうぶな膜。

緻密質

ハバース層板
ハバース層板があつまって緻密質ができている。

海綿質

フォルクマン管
ハバース管を横につなぐ管。

髄腔とつながっている。

骨の外の血管とつながっている。

骨髄は骨の中心で血液をつくる！

骨髄は、かたい骨にかこまれた安全な場所にあり、ここで血液細胞がつくられている。ただし、血液をつくっているのは、赤色骨髄という赤い色をした骨髄だけだ。生まれたばかりのときはすべての骨髄が赤色骨髄だが、おとなになるにつれて血液をつくる役目を終え、脂肪に変わるものが増えてくる。脂肪は黄色いので、変化したものは黄色骨髄という。

からだを動かす

全身の筋肉

筋肉は、**筋線維**という細長い細胞があつまってできている。筋肉のおもなやくわりは、からだを動かすこと。骨とつながっていて、骨をひっぱることで腕や脚を動かす**骨格筋**と、筋肉だけで胃や腸、血管などを動かす**平滑筋**がある。心臓を動かす筋肉はとくべつで、**心筋**という。

いちばん多いのは骨格筋で、場所によってさまざまな名前がついている。骨格筋は約400個あるといわれ、重さは体重の2分の1くらいだ。

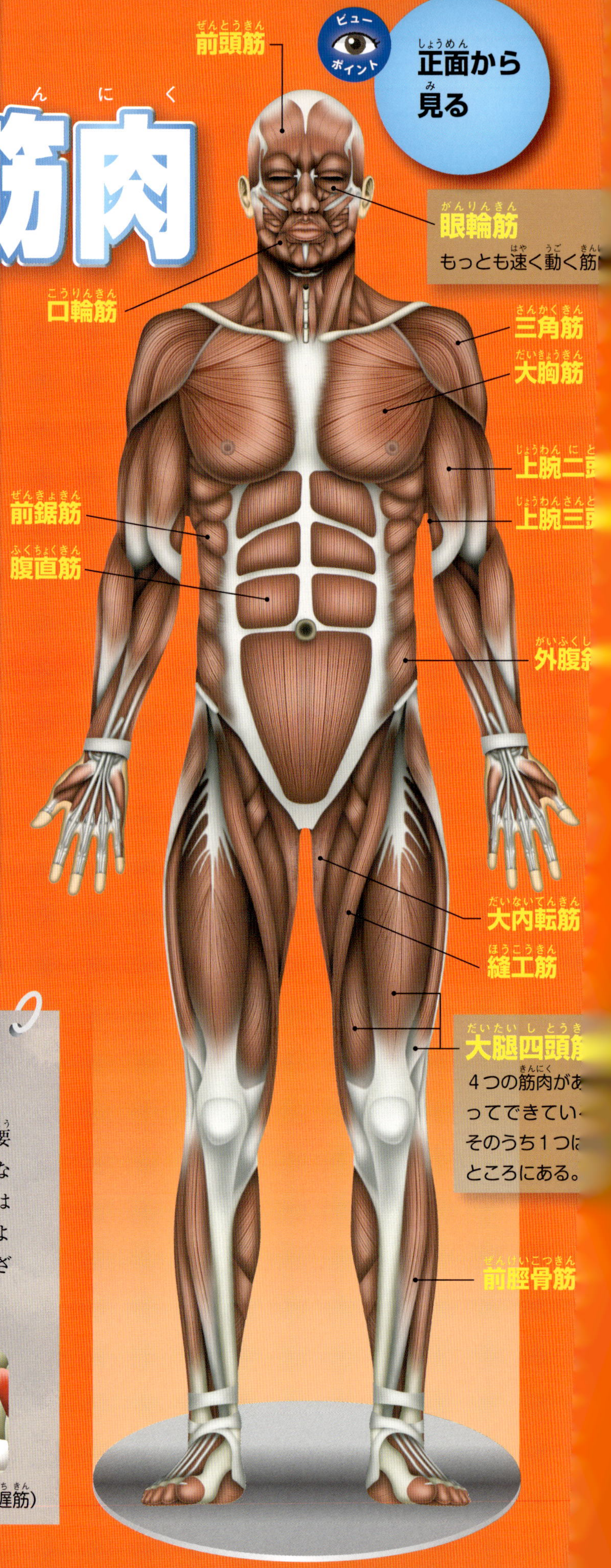

ビュー ポイント

正面から見る

前頭筋

眼輪筋

もっとも速く動く筋

口輪筋

三角筋

大胸筋

上腕二

上腕三

前鋸筋

腹直筋

外腹

大内転筋

縫工筋

大腿四頭

4つの筋肉があ

ってできてい

そのうち1つは

ところにある。

前脛骨筋

Q 白い筋肉と赤い筋肉がある？

A 筋肉には、強い力をすばやくつかうときに必要な白い筋肉と、弱い力を長くつかうときに必要な赤い筋肉がある。その色や性質から、白い筋肉は**白筋**または**速筋**、赤い筋肉は**赤筋**または**遅筋**とよばれる。白筋と赤筋は、1つの筋線維の中にまざり合っているが、そのわりあいは人それぞれだ。たとえば、短距離選手なら白筋が多くなり、長距離選手は赤筋が多くなるというように運動によっても変化する。

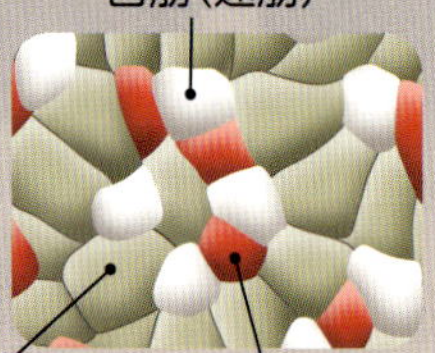

白筋（速筋）

白筋と赤筋の中間の筋肉

赤筋（遅筋）

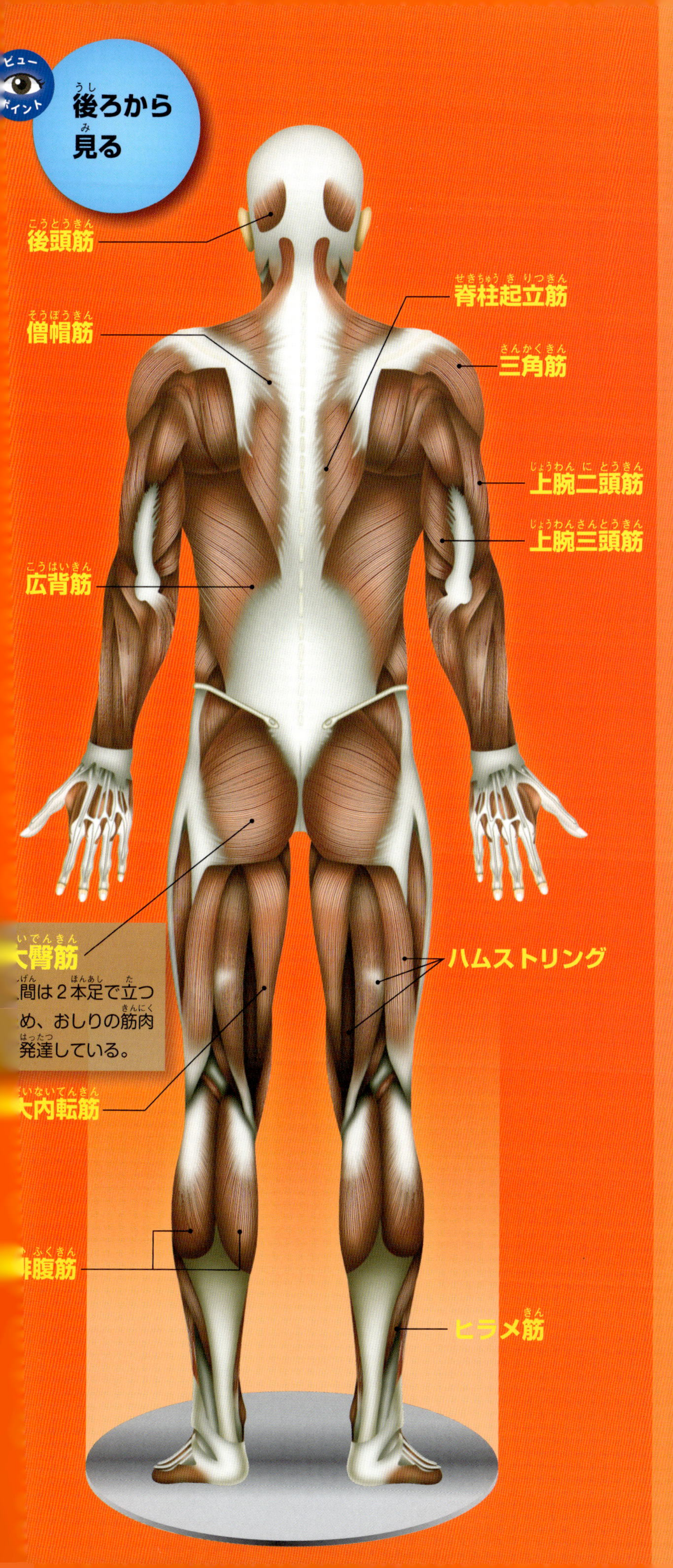

筋肉の種類

全部の筋肉を合わせると600個以上あるといわれる。

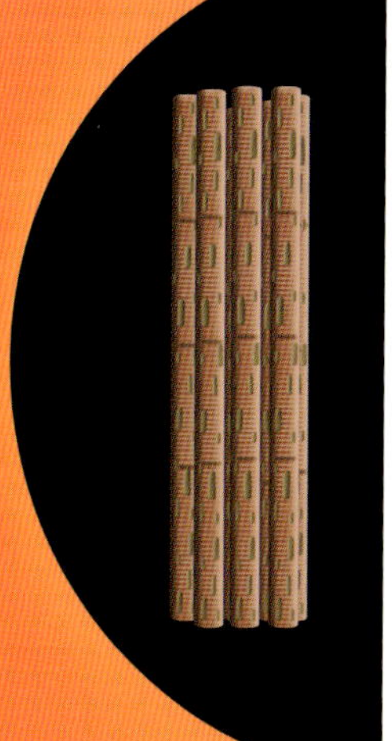

骨格筋

骨をひっぱって動かす筋肉。骨格を支えるしごともしている。筋線維に横紋（横じま模様）があるので、**横紋筋**ともいう。

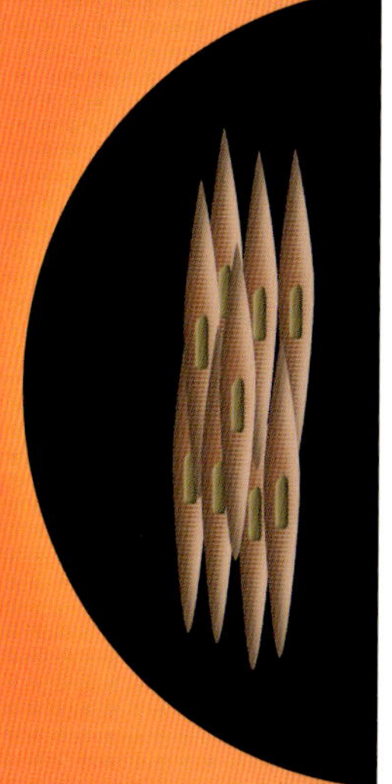

平滑筋

胃、腸、血管などの壁にある筋肉。平滑は「なだらか」という意味で、横紋がない。じぶんの意志と関係なく動く不随意筋の一種（→ P28）。

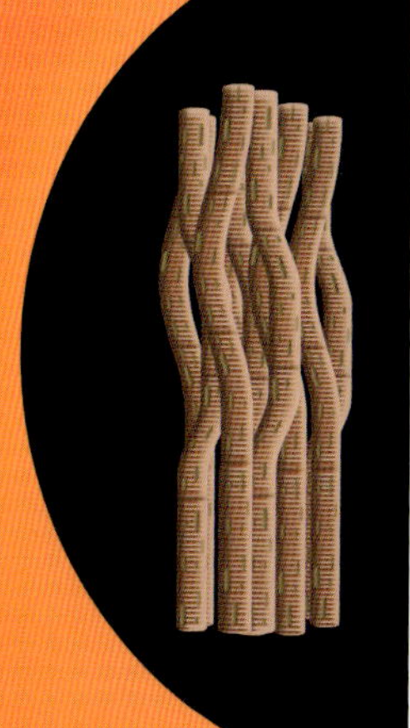

心筋

心臓を動かす筋肉。骨格筋のように横紋があり、平滑筋のようにじぶんの意志と関係なく動く。

束が束になっている！

骨格筋の構造

骨格筋を拡大しながら見ていこう。骨格筋は、**筋線維束（筋束）**があつまってできている。筋線維束は、**筋線維**があつまって束になったものだ。筋線維は、さらに細い**筋原線維**があつまってできている。筋原線維の中には、**アクチン**と**ミオシン**という細い線のようなたんぱく質がある。筋肉が収縮できるのは、この２種類のたんぱく質が重なり合うように寄ったり、はなれたりするためだ。

筋肉があるからあたたかい

ひとつひとつの細胞の中には、**ミトコンドリア**という小さな器官があり、エネルギーをつくりだしている。骨格筋にはミトコンドリアがたくさんあるので、たくさんのエネルギーがここでつくられる。運動をすると熱くなるのはエネルギーが熱に変わるからだ。寒いときは、脳の指令によって筋肉がブルブルふるえ、熱をつくりだす。

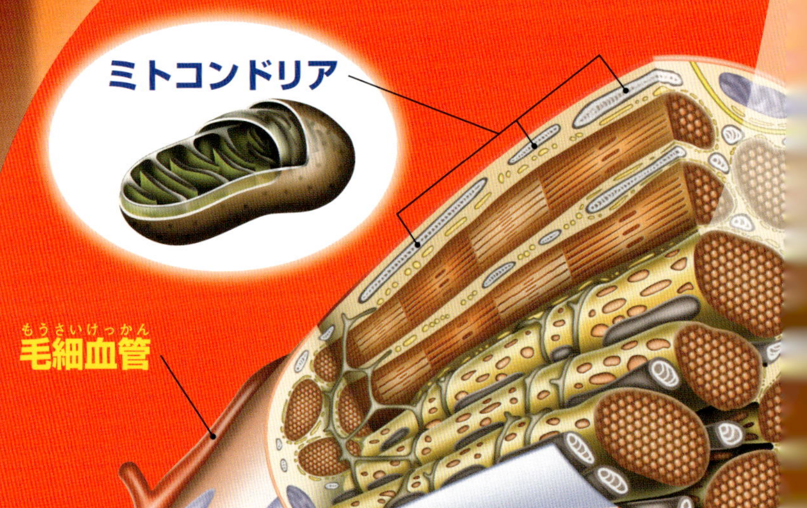

さらに拡大

毛細血管

筋線維束

ペアではたらく骨格筋

骨格筋は、じぶんの力でできるのはちぢむことだけで、伸びることはできない。そこで、ペアになった骨格筋にひっぱってもらう。たとえば腕を曲げるときは、腕の骨の上側についている上腕二頭筋がちぢみ、下側の上腕三頭筋はひっぱられて伸びる。反対に、腕を伸ばすときは上腕三頭筋がちぢみ、上腕二頭筋が伸びる。

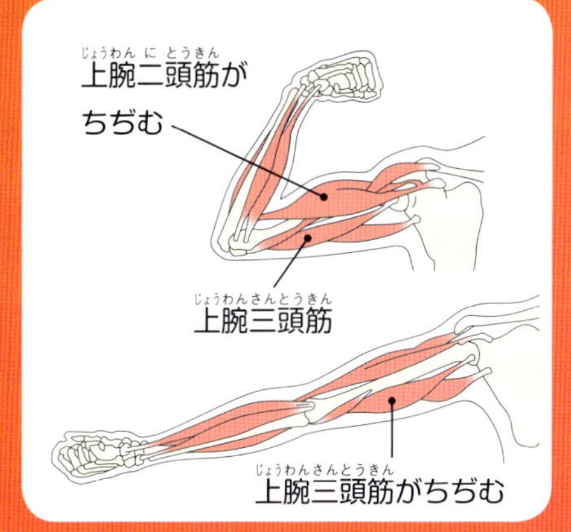

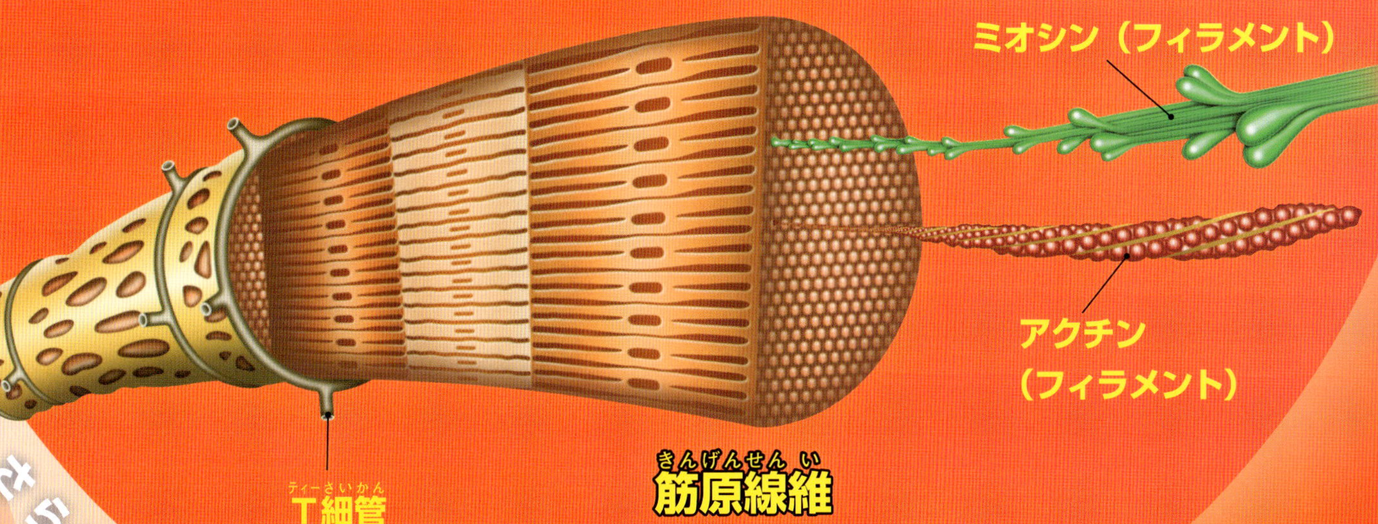

T細管
筋原線維を収縮させるときに命令を伝えるはたらきがある。

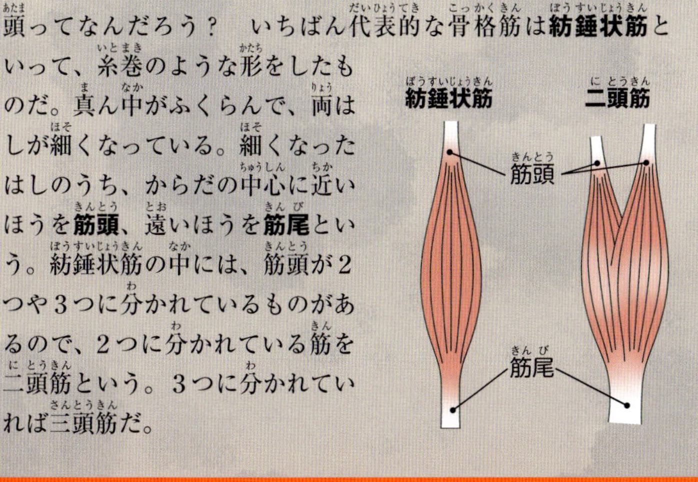

Q 筋肉には頭がある？

A 二頭筋や、三頭筋という名前の筋肉があるけれど、筋肉の頭ってなんだろう？　いちばん代表的な骨格筋は**紡錘状筋**といって、糸巻のような形をしたものだ。真ん中がふくらんで、両はしが細くなっている。細くなったはしのうち、からだの中心に近いほうを**筋頭**、遠いほうを**筋尾**という。紡錘状筋の中には、筋頭が2つや3つに分かれているものがあるので、2つに分かれている筋を二頭筋という。3つに分かれていれば三頭筋だ。

SPOTLIGHT

筋肉が収縮するしくみ

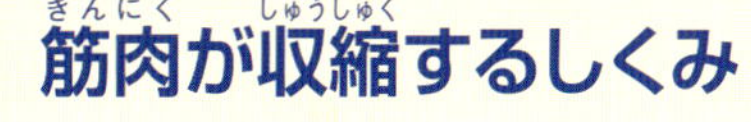

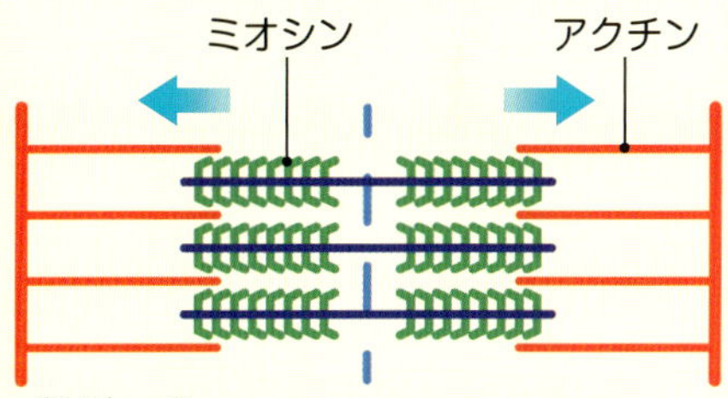

筋肉が伸びているとき
アクチンとミオシンは少ししか重なっていない。

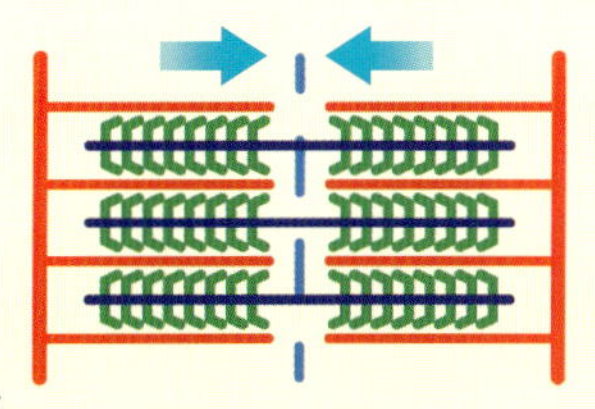

筋肉がちぢんでいるとき
アクチンとミオシンが重なり合っている。

骨と骨をつないで動かす

全身の関節

骨がいろいろな方向に動くようにしながら、骨と骨をつないでいる部分が関節だ。場所によって動かしたい方向がちがうので、関節はその場所に合う形になっている。

たとえば肩関節は、360度どの方向にも動くように、球形の骨の先がくぼみにおさまっている。ひじの関節は、内側にだけ曲がり、外側には曲げられない。同じ場所に、腕の先を回転させる関節もある（→ P15）。からだの重さを支えて動くひざ関節も、とくべつなつくりになっている（→ P19）。

あご〈楕円関節〉

脊柱（背骨）〈平面関節〉

胸から腰までの椎骨（→ P23）は、ひとつひとつの骨の両端が平らになっていて、横にずれるようにして少しだけ動く。全体としては大きく動くことができる。

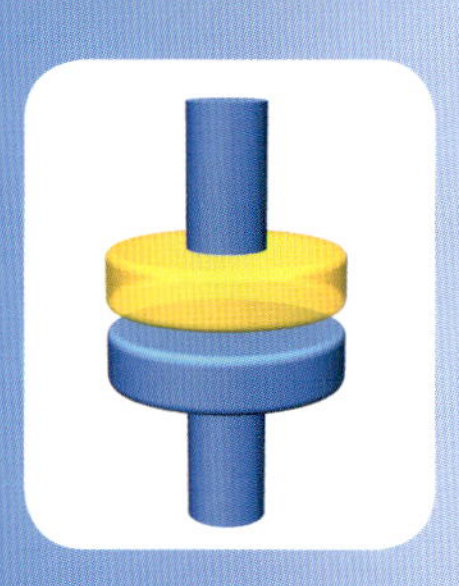

手首〈楕円関節〉

片方の骨の先端がだ円形で、前後左右に動くが、球関節のように360度回転する動きはできない。手のひらを返すときは、ひじの関節が動いている。

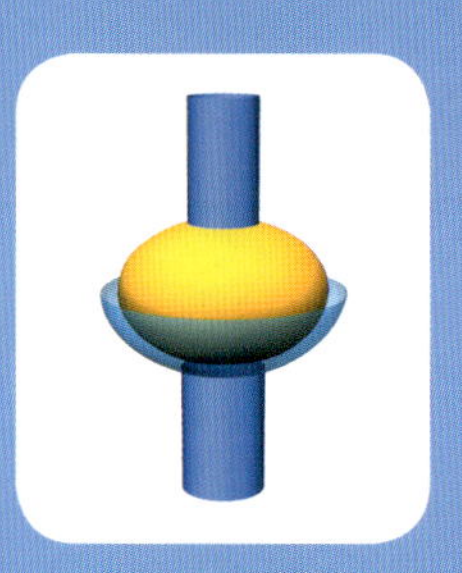

親指以外の指のつけ根〈蝶番関節〉

親指のつけ根〈鞍関節〉

鞍のような形をした2つの骨の先端が組み合わされていて、前後左右に動く。

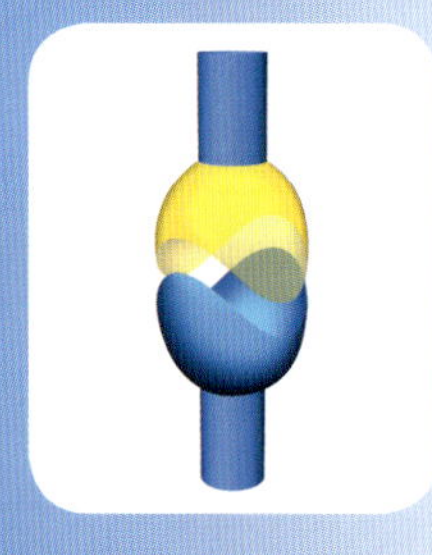

Q 動かない関節もある？

A 頭の骨は、**縫合**というまったく動かないつながり方をしている。骨盤の正面側の**恥骨結合**という部分は**線維軟骨**でつながっていて、少しだけ動く。こんなふうに、まったく動かないか、ほんの少ししか動かない骨のつながり部分も、広い意味では関節とよばれる。

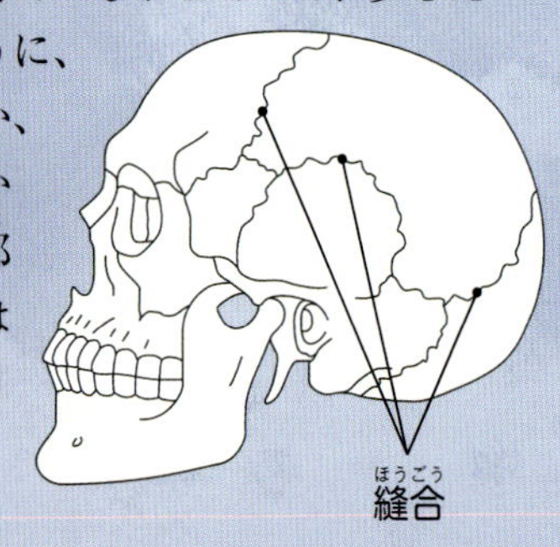

首の上部〈車軸関節〉

片方の骨にくぼみがあり、もう一方の骨がくぼみの内側で回転する。首を左右に回すときの動き。

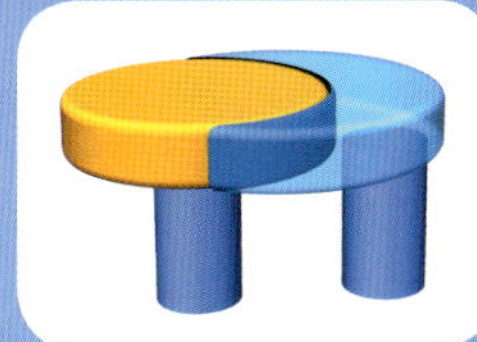

肩〈球関節〉

一方の骨の先端がボールのような形で、もう一方の受け皿のようなくぼみの中で自由な方向に動く。肩はくぼみが浅いので、関節がはずれやすい。関節がはずれることを**脱臼**という。

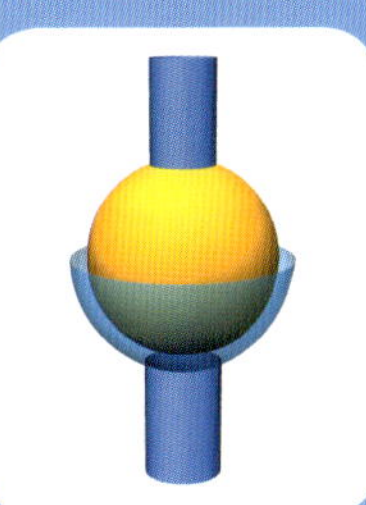

ひじ〈蝶番関節〉〈車軸関節〉〈球関節〉

(→ P15)

股関節〈球関節〉

恥骨結合

(→ P24)

ひざ〈蝶番関節〉

一方向だけに蝶番のように動く。

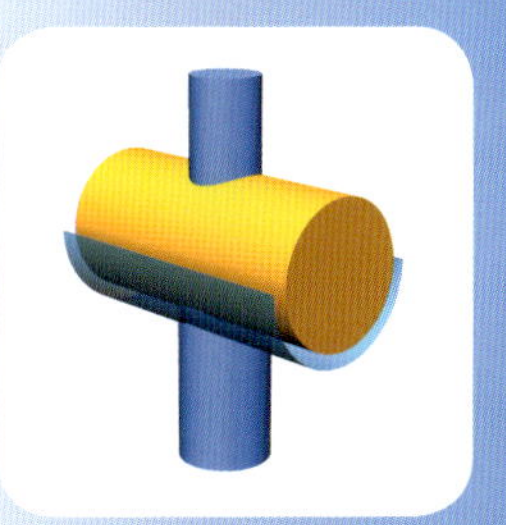

足首〈鞍関節〉

SPOTLIGHT

靭帯が骨を結びつけている

関節部分では、骨のまわりや骨のあいだに靭帯というひも状の組織があり、骨どうしがずれないように結びつけている。

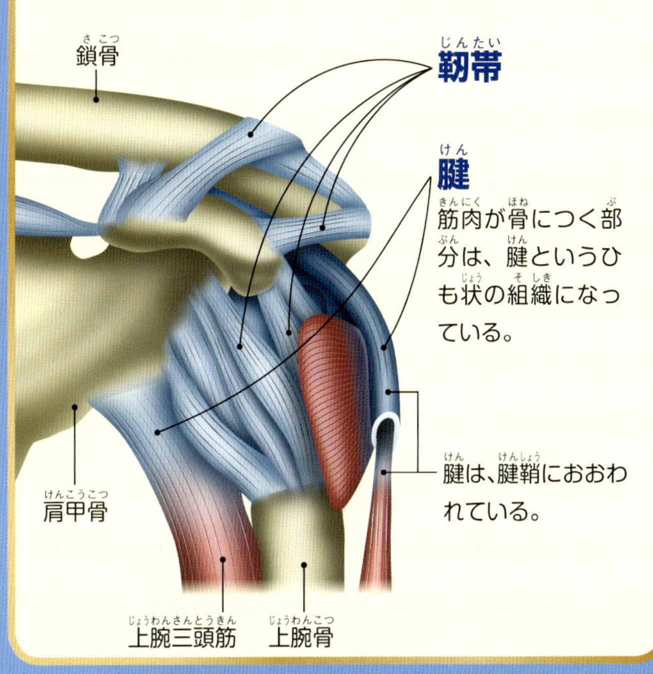

ビューポイント

関節の中を見る

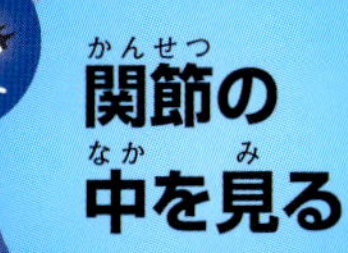

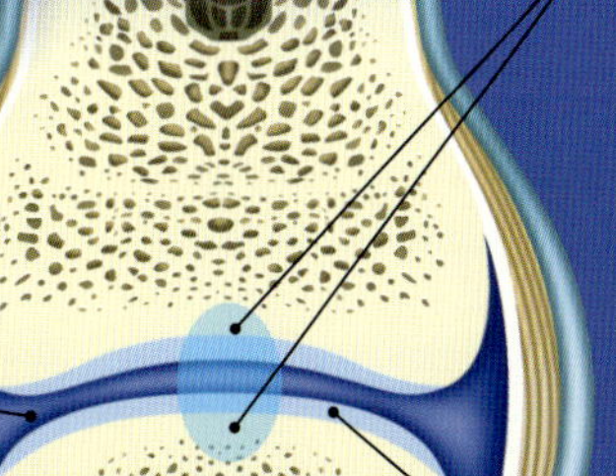

関節包
外側は線維性のじょうぶな膜、内側は滑液を分泌する滑膜の二重構造。

関節腔
骨と骨のあいだのすきま。**滑液**で満たされている。滑液は骨がなめらかに動くのを助ける、潤滑油のような液体。

関節窩と関節頭
関節部分の骨は、片方が丸くでっぱり、もう一方がへこんでいることが多い。へこんでいるほうを関節窩、でっぱっているほうを関節頭という。

間接軟骨
骨の先端を薄くおおっていて、骨どうしが直接ぶつからないようにクッションのやくわりをしている。

上肢を形づくる

肩・腕・手の骨

ビュー
ポイント
肩のまわりの骨（ななめ後ろ）

肩は、腕と胴がつながる部分だ。肩、腕、手をまとめて**上肢**という。肩の骨格は肩甲骨と鎖骨でできていて、２つを合わせて**上肢帯**という。

腕は、ひじから肩までを**上腕**、ひじから手首までを**前腕**という。上腕の骨は１本だが、前腕の骨は２本ある。

手の骨はひとつひとつが小さくて、片手だけで27個もある。小さなものをつまむことや、複雑な動きをすることができるのは、小さな骨がたくさんつながっているからだ。

肩甲骨

背中側にある、平たい形をし
骨。左右に１つずつあり、
腕骨、鎖骨とつながっている
肩甲骨が肩関節といっしょ
動くおかげで、腕を大きく
かすことができる。

肩峰

背中にある僧帽筋、
をおおう三角筋とい
２つの大きな筋肉が
いている（→ P16）。

烏口突起

腕の筋肉の烏口腕筋と
胸の筋肉の小胸筋が
いている（→ P17）。

肩峰と烏口突起の２
つのでっぱりについ
ている筋肉や靭帯が、
背中、胸、腕と肩甲
骨とをしっかり固定
している。

Q ひじをぶつけると、なぜしびれるの？

A ひじの小指側に、なにかにぶつけるとビリビリしびれる部分がある。なぜしびれるのかというと、尺骨神経（尺骨にそって走っている神経）が、この部分では皮膚に近いところをとおっているので、刺激がちょくせつ伝わるため。英語ではこの部分を「ファニーボーン（おかしな骨という意味）」とよんでいるが、実際には骨でなく、神経がある場所だ。

右腕・右手の骨（正面）

肩甲骨とつながっている。

上肢帯
（鎖骨と肩甲骨）

鎖骨
左右に１つずつあり、腕をつっている。

胸骨（→ P20）とつながっている。

肩甲骨
鎖骨といっしょに腕と手をささえている。

肩関節（肩甲上腕関節）
肩甲骨のおわん状のくぼみ（関節窩）に、上腕骨の丸い先端（関節頭）がおさまっている。球関節（→ P13）。

上腕

上腕骨

肘頭

橈骨
親指側にある骨。手首の近くが太くなっていて、手首としっかりつながっている。

尺骨
小指側にある骨。ひじの近くが太くなっていて、上腕骨としっかりつながっている。

前腕

手の骨

手根骨
首の骨。８個の短骨があつまっている。

手骨
の甲にある５個の骨。

骨
の骨。基節骨・中節・末節骨からなり、手で 14 個ある。

基節骨

中節骨
親指にはない。

末節骨

ひじの関節

ひじの関節の２つの動き

曲げ伸ばし

ひじを曲げ伸ばしするときの、蝶番関節と球関節（→ P13）の動き。尺骨の外側が長く伸びているので、外側には曲がらない。

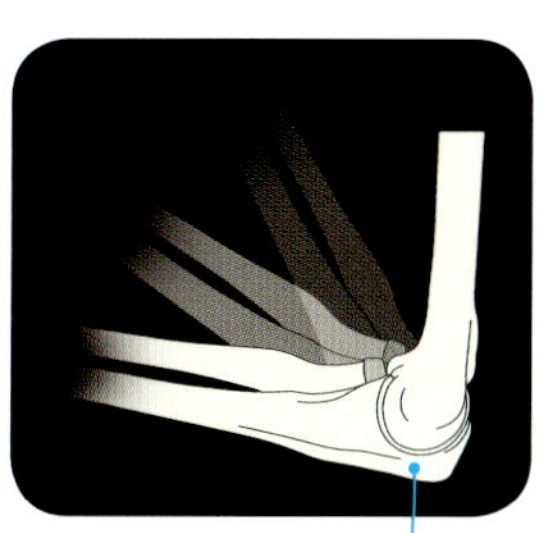

外側には曲がらない。

回転

手のひらを返すときの、車軸関節と球関節（→ P13）の動き。手のひらを下に向けるときは橈骨が大きく動き、尺骨と交差してＸの形になる。

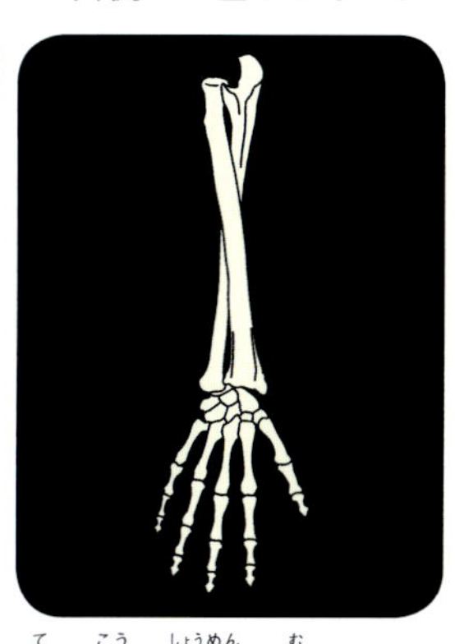

手の甲を正面に向けたとき、２つの骨が交差する。

上肢を動かす 肩・腕・手の筋肉

肩をおおっている**三角筋**は、上半身でいちばん体積が大きい筋肉だ。腕をさまざまな方向へ動かすのにつかわれる。肩にはほかにも小さな筋肉や、からだの深い部分にある筋肉など、たくさんの筋肉がある。

上腕にも大きな筋肉がついている。力こぶができるのは**上腕二頭筋**。前腕には、前腕を動かす筋肉のほか、手首や指を動かす筋肉もある。手は、前腕からつながっている長い筋肉と、手だけにある短い筋肉の両方で動いている。

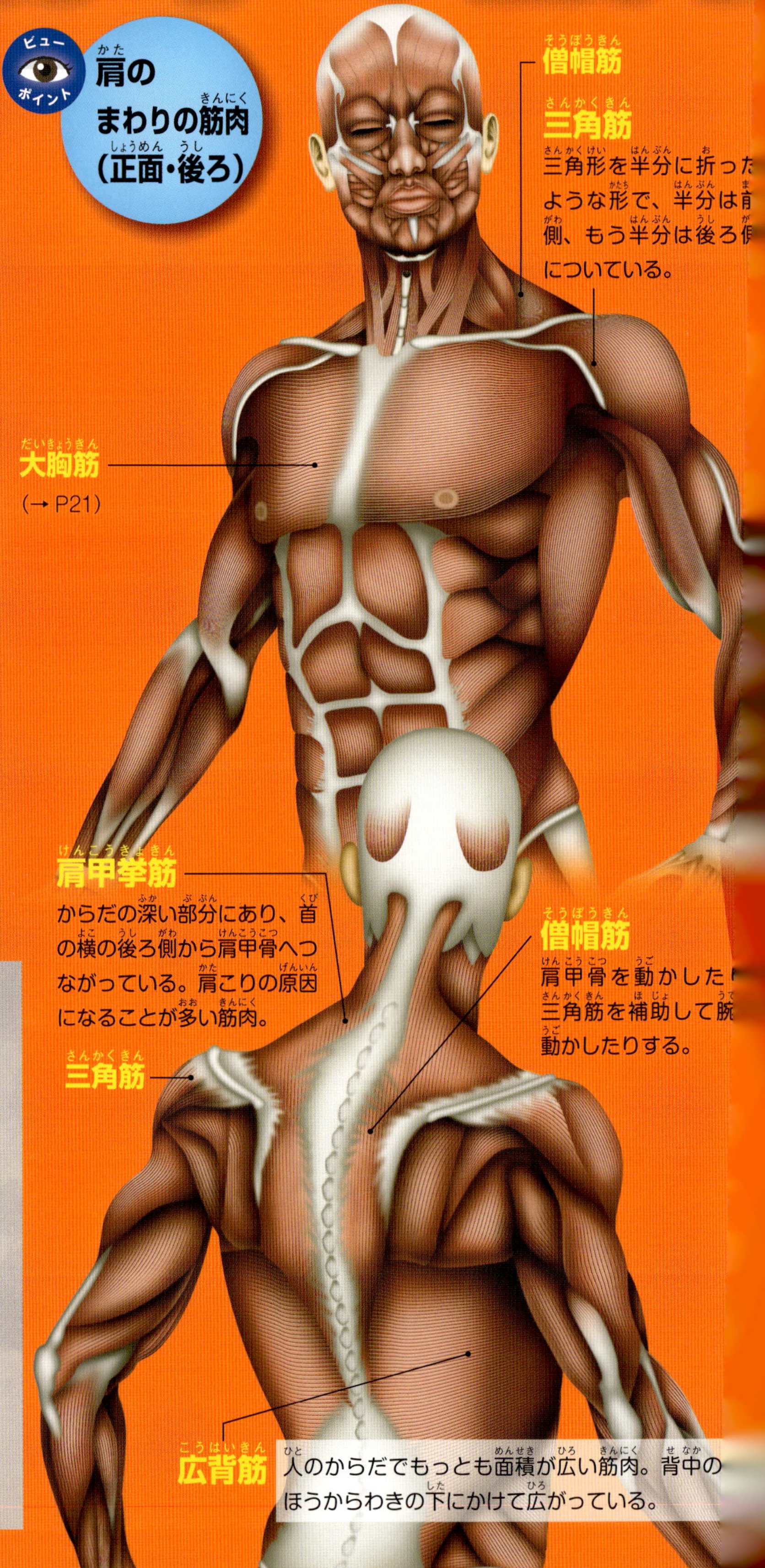

ビューポイント
肩のまわりの筋肉（正面・後ろ）
僧帽筋
三角筋
三角形を半分に折った
ような形で、半分は前
側、もう半分は後ろ側
についている。
大胸筋
（→ P21）
肩甲挙筋
からだの深い部分にあり、首の横の後ろ側から肩甲骨へつながっている。肩こりの原因になることが多い筋肉。
僧帽筋
肩甲骨を動かしたり、
三角筋を補助して腕を
動かしたりする。
三角筋
広背筋
人のからだでもっとも面積が広い筋肉。背中のほうからわきの下にかけて広がっている。

Q 筋肉の名前はどうやってつけたの？

A 僧帽筋という変わった名前は、形が僧帽に似ているのでつけられた。僧帽は「お坊さんの帽子」のことだが、修道士が着ている服のフードとよく似ている。三角筋は、横から見ても三角形だが、広げて上から見ると二等辺三角形のようになっている。二頭筋や三頭筋（→P11）も、形からつけられた名前だ。

からだの表面に近い浅い層の筋肉の下に、深い層の筋肉がある！

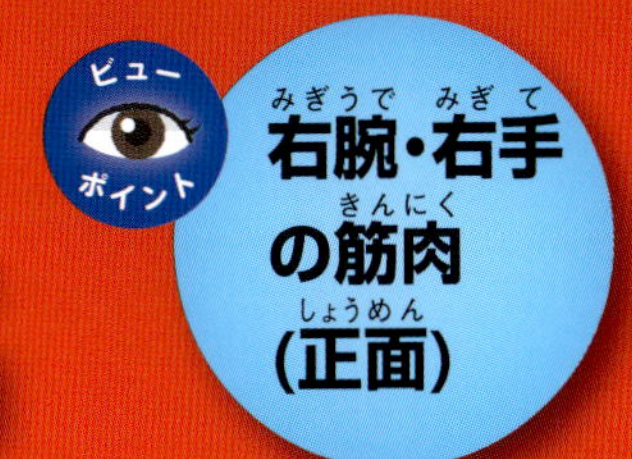

浅い層 ―〈手のひら側〉― 深い層

上腕

上腕二頭筋
腕を前にもち上げたり、ひじを曲げたりする。力こぶをつくる筋肉。

前腕

腕橈骨筋
ひじを曲げたり、ひじから先を回転させたりする。

浅指屈筋
親指以外の4本の指に腱でつながっている。

上腕三頭筋
前に伸ばした腕を下ろしたり、ひじを伸ばしたりする。

短母指外転筋
親指を外側にひらく。

腱

上腕二頭筋

烏口腕筋
肩甲骨の烏口突起（→ P14）から上腕骨へつながっている。

小胸筋

上腕筋
ひじを曲げる。上腕二頭筋の内側の深いところにある。

長母指屈筋
親指を伸ばしたり、外側に回転させたりする。

右腕・右手の筋肉（後ろ）

浅い層 ―〈手の甲側〉― 深い層

上腕三頭筋

総指伸筋
親指以外の4本の指を伸ばす。

背側骨間筋
指を開く。ジャンケンのパーをだすときの動き。

腱

上腕三頭筋

長母指伸筋
親指の腱につながっていて、親指を持ち上げると腱がうきでて見える。

親指の向きが大切！

人間の手がじょうずにものをつかめるのは、親指のおかげだ。よく見ると、親指はほかの4本の指とはちがう向きについている。もしも同じ向きだったら、親指と4本指でものをはさんでにぎったり、こまかいものをつまんだりできない。だから、指とつながっている腕の筋肉も、親指だけべつになっている。

体重を支えて歩く 脚・足の骨と筋肉

「あし」は、太もものつけ根から足首までを**脚**、足首から足指までを**足**と書いて区別することがある。両方をまとめて**下肢**という。

脚は、ひざから上の**大腿**と、ひざから下の**下腿**に分けられる（ふつうによぶときは、大腿は「太もも」、下腿は「すね」という）。太ももにある**大腿骨**は、からだの中でいちばん大きな骨だ。脚をもち上げるのはおもに大腿の筋肉で、下腿の筋肉は、おもに足をもち上げるのにつかわれる。歩くときはそれを同時におこなうので、歩く動作はとても複雑だ。

ビューポイント 左脚・足の骨（ななめ前）

股関節
肩と同じように、どの方向にも動かせる球関節（→ P13）。肩よりもしっかりつながっているので脱臼はしにくい。

大腿骨
からだの中でいちばん長く、大きく、強い骨。

膝蓋骨
大腿四頭筋（→ P19）と腱でつながっているだけで、ほかの骨とつながっていないので、骨格の仲間には入っていない。ひざを伸ばしやすくしたり、ひざ関節を保護したりする。ひざの皿ともいう。

脛骨
すねの内側（親指側）にある骨で、大腿骨の次に長い。大腿骨といっしょにからだを支えている。

腓骨
すねの外側（小指側）にある骨。歩くときの衝撃をやわらげたり、足首をさまざまな方向に動かすやくわりがある。

くるぶし
足首の外側と内側の両方にある、骨のとび出た部分。外側は腓骨の先端、内側は脛骨の先端。

足根骨
足首の骨。7個あり、手首の骨より1個少ない。

中足骨
足の甲にある5個の骨。

趾骨
足の指は、手の指と区別して「趾」ということがある。手と同じで親指は骨が1つ少なく、ぜんぶで14個。

A

下

足

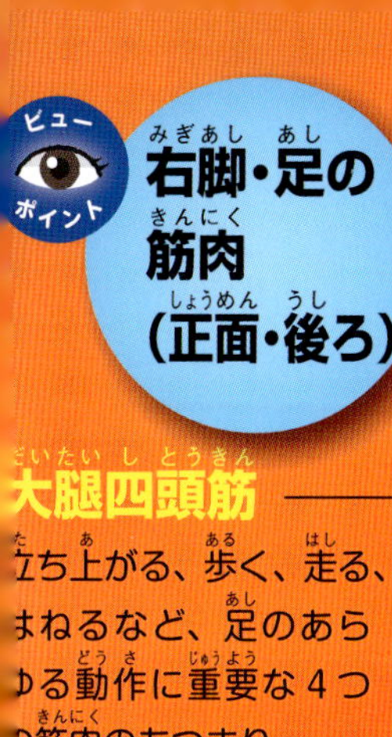

ビューポイント

右脚・足の筋肉（正面・後ろ）

〈正面〉　〈後ろ〉

縫工筋

大腿四頭筋
立ち上がる、歩く、走る、はねるなど、足のあらゆる動作に重要な４つの筋肉のあつまり。

大腿直筋
外側広筋
内側広筋
中間広筋
中間広筋は上の３つの筋肉の内側にかくれている。

前脛骨筋
脛骨の外側の筋肉。
つま先をもち上げるときにつかう。

大内転筋
股をとじるときや、太ももをとじて引きつけるときにつかう。

腓腹筋
背伸びをしたり、つま先立ちになったりするときにつかう。

ヒラメ筋
地面をけってはねるときにつかう。

大腿二頭筋
半腱様筋
半膜様筋

ハムストリング
短距離走の選手がよくつかう３つの筋肉のあつまり。ひざを曲げるときや、股関節を伸ばすときにつかう。ハムは太もも、ストリングは腱のこと。

アキレス腱
専門的には踵骨腱という。

ビューポイント

ひざ関節を横から見る

大腿骨
脛骨
関節軟骨

半月板（関節半月）
ひざ関節だけにある、軟骨でできた板。左右に分かれて２つの半月板がある。関節軟骨と半月板の二重のクッションで、脚の骨に加わる力や、からだ全体にかかる衝撃をやわらげている。

ビューポイント

ひざ関節Ａの断面を見る

〈正面〉
前十字靭帯
内側側副靭帯
副靭帯
内側半月板
半月板
後十字靭帯
〈後ろ〉

ひざ関節には４本の強力な靭帯があり、骨が正しい位置におさまっていられるように支えている。スポーツなどでひざを強くぶつけたり、ねじったりすると、靭帯を傷つけたり、切れたりしてしまうこともある。完全に切れてしまうと、しぜんには元にもどらないので、プロのスポーツ選手などは手術で治療することもある。

SPOTLIGHT

土ふまずはアーチ型

足の骨を横から見るとアーチ型になっていて、真ん中は地面についていない。この部分を土ふまずという。アーチ型は重さをうまく支えられる構造なので、橋にもアーチ型をした「アーチ橋」がある。二足歩行をする人間だけが、土ふまずをもっている。

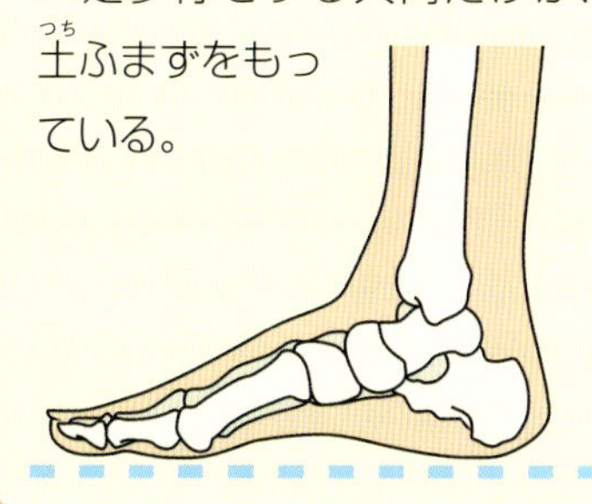

心臓や肺を守り、呼吸を助ける

胸〜腹の骨と筋肉

胸の骨は、鳥かごのような形をしていて、心臓や肺などの大切な器官を囲むようにして守っている。背中から胸の中央に向けて丸くなっている骨を**肋骨**といい、左右に12本ずつ、24本ある。肋骨の上側の10本は、真ん中にある**胸骨**とつながっているが、下の2本は背骨とだけつながっていて、胸骨まではとどいていない。

肋骨と肋骨のあいだにある**肋間筋**は、肋骨を動かして胸を広げ、呼吸を助けるはたらきをしている。

ビューポイント 胸の骨を見る（ななめ前）

肋骨、胸骨、胸椎でかこまれた鳥かごのような胸の骨格を**胸郭**という。

胸骨
鎖骨と肋骨につながっている。

鎖骨

胸椎
脊柱の上から8個〜19個めの部分（→P22）。

肋骨
あばら骨ともいう。左右に12本ずつある。

肋軟骨
肋骨と胸骨をつないでいる。やわらかい肋軟骨のおかげで、肋骨が動きやすくなっている。

下の4本は胸骨にはつながっていない。

ビューポイント 肋骨の動きを上から見る

息をすうとき

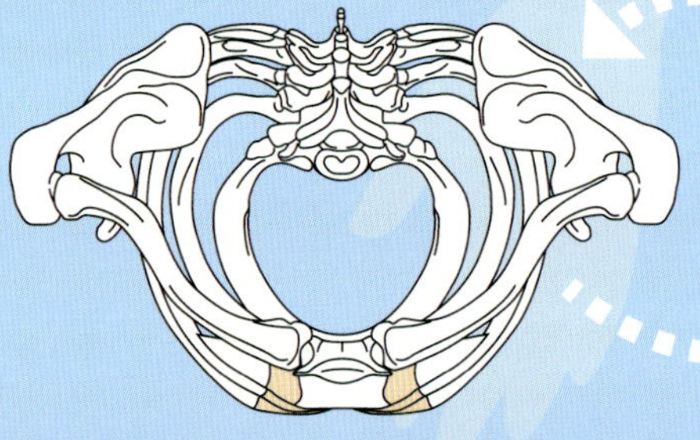

肋間筋が肋骨をひっぱり、肋骨にはりついている肺をふくらませることで、空気が肺の中に入る。

息をはくとき

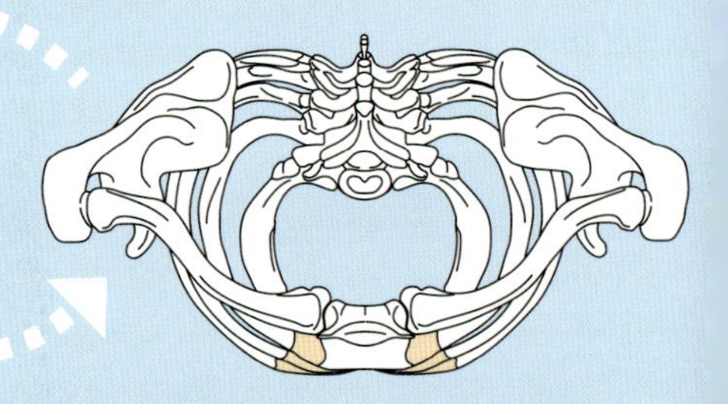

肺はしぜんにちぢんで、肋骨が元の位置にもどる。

胸～腹の筋肉を見る（正面）

小胸筋

大胸筋の内側にある小さな筋肉。肋骨から肩甲骨の烏口突起（→P14）へつながっている。

大胸筋

上半身で２番めに大きな筋肉。胸の前で大きなものをかかえたり、腕立てふせのように腕を押しだすときにつかう。

前鋸筋

肋骨の外側から肩甲骨の前側へつながっている。

肋間筋

腹直筋

ふだん腹筋とよんでいる筋肉。縦に３段～４段、左右２つに分かれているので、この筋肉をきたえて厚くすると、おなかが６つや８つに割れて見える。

外腹斜筋

腹直筋と同じはたらきをするほか、からだを横にたおしたり、左右にひねったりするときにつかう。

内腹斜筋

外腹斜筋の内側の深いところにあり、外腹斜筋と連けいして動く。

横隔膜の動きを見る

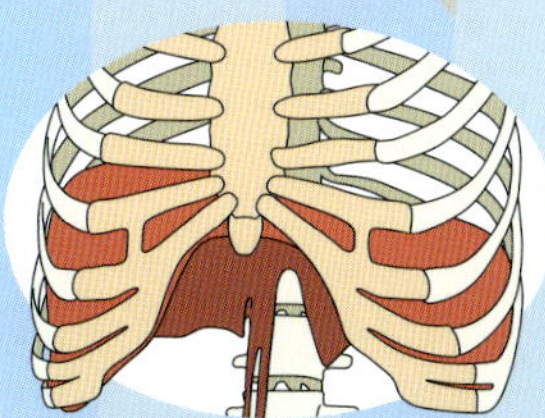

胸郭の下側をふさぐようにして、横隔膜というドーム型の筋肉がある。息をすうと横隔膜がちぢんで平らになり、胸郭のスペースが広がって空気が入る。

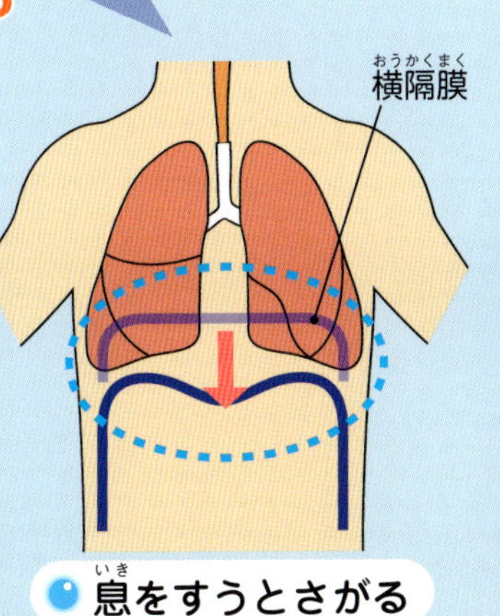

Q しゃっくりが出るのはなぜ？

A 横隔膜は、ときどきけいれんすることがある。すると、のどの筋肉がちぢみ、せまくなったのどを息がとおるときに、「ひっく」という声が出る。これが「しゃっくり」だ。

横隔膜のけいれんの原因はいろいろだが、食べすぎたり、食べかたが速すぎたりすると、胃に押されてけいれんしやすくなる。なかなか止まらないしゃっくりは、神経が何かに刺激されておこる場合もある。

上体を支え、大切な神経を守る

背中の骨と筋肉

首から背中の真ん中をとおり、おしりまでつづいている骨を**脊柱**という。ふだんは背骨とよんでいる骨だ。脊柱は、**椎骨**という短い骨がつみかさなってできている。ひとつひとつの椎骨は、おなか側に穴があいていて、それがトンネルのようにつながっている。そして、その中を**脊髄**という神経がとおっている。脊柱のおもなやくわりは、上体を支えることと、大切な脊髄を守ることだ。

背中には、脊柱をまっすぐ立たせるためのさまざまな筋肉がついていて、その筋肉をまとめて**脊柱起立筋**という。

ビューポイント

脊柱(背骨)を横から見る

頸椎（椎骨は7個）

首の骨。上の２つの頸椎はくしゅな形で、いちばん上は椎、２つめは軸椎といい、環のくぼみに軸椎がはまって車関節（→ P13）になっている

背中側には棘突起があ

胸椎（椎骨は 12 個

肋骨とつながっている胸骨。肋骨がついているたに、頸椎・腰椎より動にくい。

腰椎（椎骨は５個）

肋骨が終わった位置か脚のつけ根までの骨。

下にいくにつれて椎骨は大きくなる。

仙骨

子どものころは５つに分かれているが、おとなになるにつれてくっつき、１つになる。骨盤（→ P24）の一部分でもあり、脊柱と腰の骨をつないでいる。

尾骨

おしりの下のほ骨で、さわると出ているのがわ尾骶骨ともよば

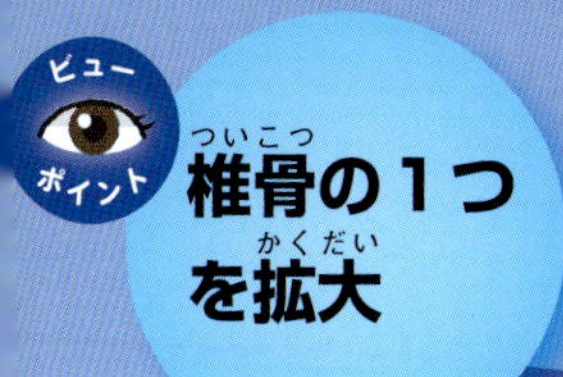

この穴を脊髄がとおっている。

〈おなか側〉

棘突起

ビュー
ポイント
脊柱起立筋を見る（正面）

背中には、脊柱と平行する形で、棘筋、最長筋、腸肋筋などの筋肉がついている。これらは背中をまっすぐ立てておくために必要な筋肉で、**脊柱起立筋**とよばれる。おなかの腹直筋（→P21）が背中を丸めるのに対して、脊柱起立筋は背中を反らすはたらきをする。上体を起こしているときは、重力にさからうためにいつも脊柱起立筋がはたらいているので、腹直筋よりもよくつかっている。

最長筋
頭の下から胸の下まで走っている。左右両方の筋肉がちぢむと脊柱が伸び、片側だけちぢむとそちら側に曲がる。

棘筋
首から腰の上までの、棘突起のあいだをむすんでいる。

腸肋筋
首から腰まで、最長筋の外側を走り、仙骨にもつながっている。

脊髄
からだの各部分と情報をやりとりする大もとの神経で、おとなでは1cmのくらいの太さがある。

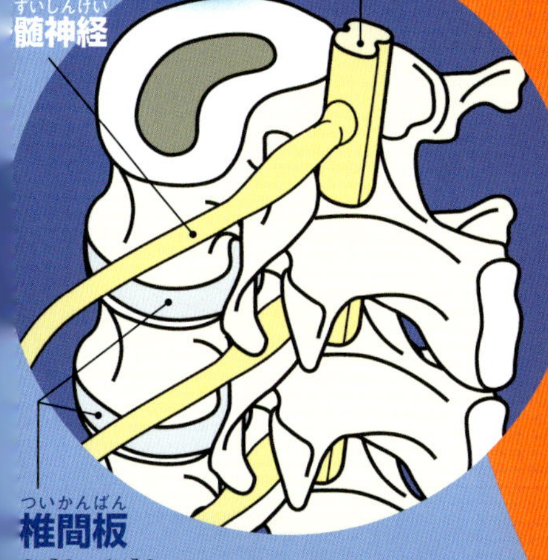

椎間板
椎骨と椎骨のあいだにあり、クッションのやくわりをしている軟骨。やわらかいので、背骨を曲げたりひねったりするのにもやくだっている。

「S」字カーブが大切！

脊柱（背骨）は、横から見ると「S」字のようなカーブをえがいている。このカーブには、からだが受ける衝撃をやわらげたり、上体がぐらぐらしないように安定させたりする重要なやくわりがある。

ときどき、首の骨のカーブがほとんどなくなってしまう「ストレートネック」という状態になる人がいて、首が痛くなったり、ひどい肩こりになったりする場合がある。ねこ背や、うつむいた姿勢を長くつづけていることなどがストレートネックの原因になるので、姿勢をよくすることが大切だ。

胴と脚をつなぐ&おなかの器官を守る

腰の骨と筋肉

腰には**骨盤**というボウルのような形の骨格がある。ボウルを形づくっているのは、**脊柱**の一部である**仙骨**・**尾骨**と、2つの**寛骨**だ。脊柱は首からつづいていて、寛骨には脚の骨がつながるので、骨盤は胴と脚をつなぐ結合部といえる。また、ボウル型の骨格は、泌尿器や生殖器などの器官を大切に守っている。

腰と脚をつなぐ部分には、強い筋肉もついている。そして、おしりにはからだでいちばん大きい筋肉の**大臀筋**がある。

ビュー
ポイント

骨盤を取り出して見る

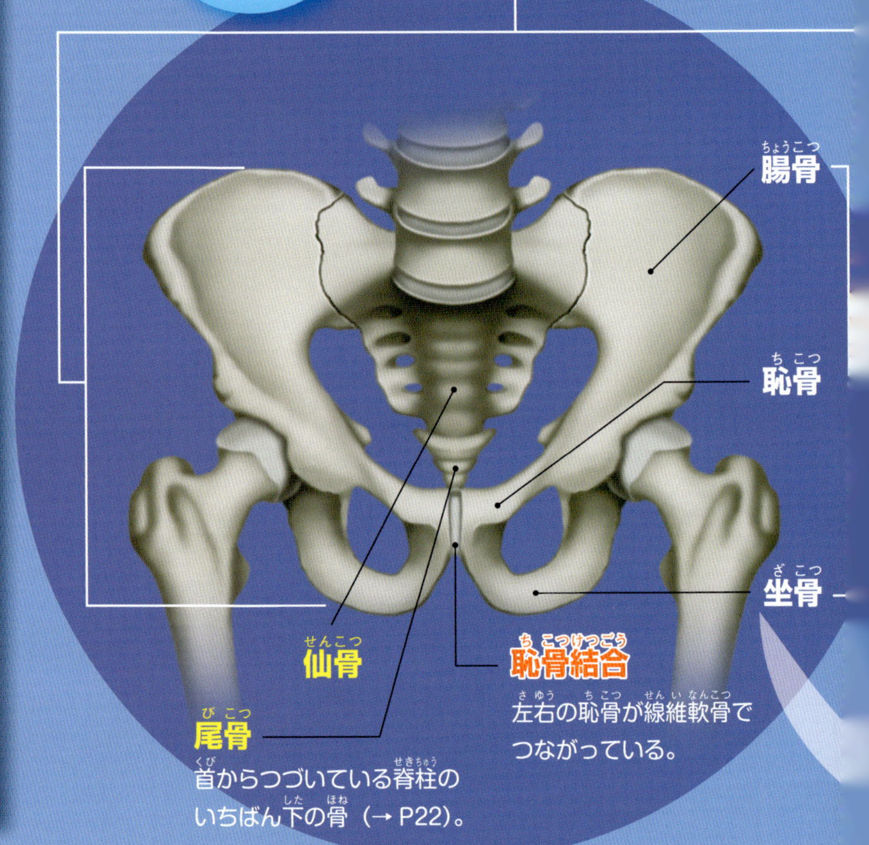

寛骨
左右に1つずつある、大きな耳のような形の骨。
腸骨
恥骨
坐骨
仙骨
恥骨結合
左右の恥骨が線維軟骨でつながっている。
尾骨
首からつづいている脊柱のいちばん下の骨（→ P22）。

Q 骨盤の形は男女でちがう？

A 右の絵でわかるように、女性のほうが男性よりも骨盤の内側が広い。それは、女性の骨盤の中には、子宮という赤ちゃんが育つ場所があるためだ。そして、赤ちゃんが生まれるときのとおり道を広くするために、恥骨の下側の角度も女性のほうが大きくなっている。

男性

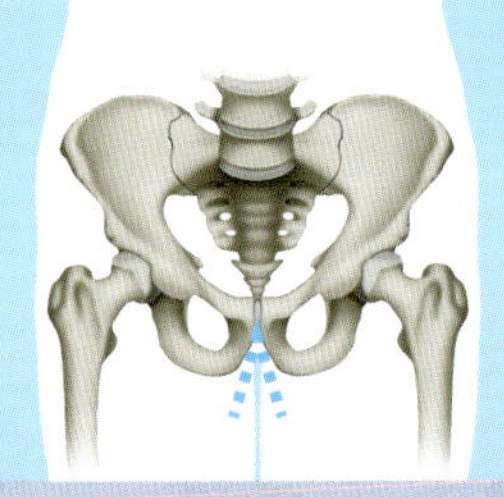

角度がせまい

女性

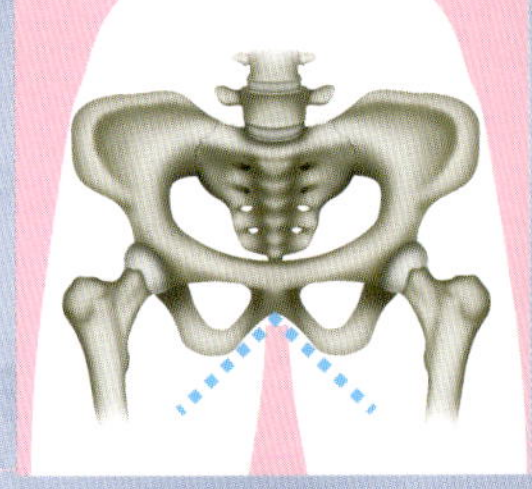

角度が広い

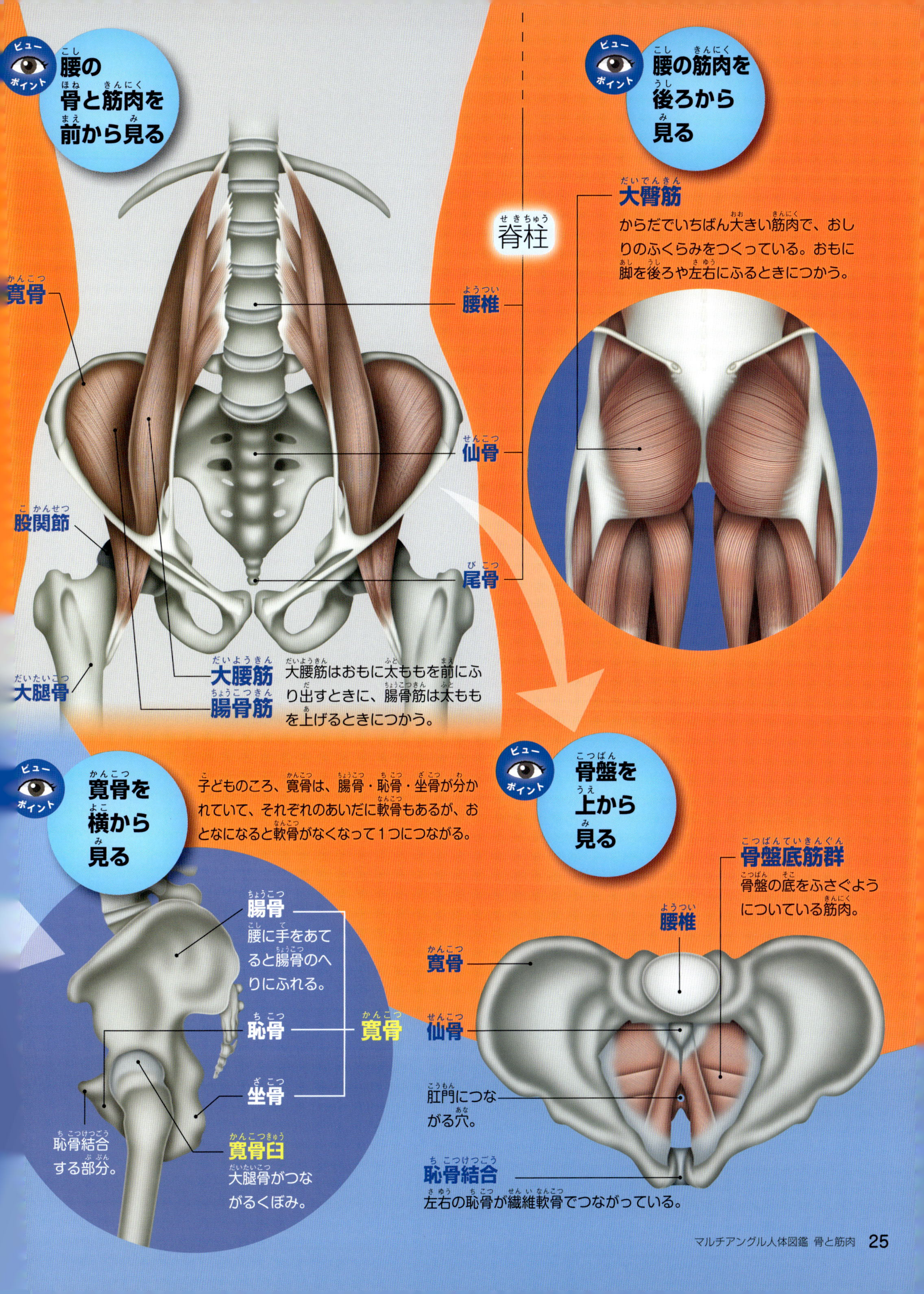

ビューポイント
腰の骨と筋肉を前から見る
寛骨
股関節
大腿骨
腰椎
仙骨
尾骨
脊柱
大腰筋
腸骨筋
大腰筋はおもに太ももを前にふり出すときに、腸骨筋は太ももを上げるときにつかう。
ビューポイント
腰の筋肉を後ろから見る
大臀筋
からだでいちばん大きい筋肉で、おしりのふくらみをつくっている。おもに脚を後ろや左右にふるときにつかう。
ビューポイント
寛骨を横から見る
子どものころ、寛骨は、腸骨・恥骨・坐骨が分かれていて、それぞれのあいだに軟骨もあるが、おとなになると軟骨がなくなって１つにつながる。
腸骨
腰に手をあてると腸骨のへりにふれる。
恥骨
寛骨
坐骨
恥骨結合する部分。
寛骨臼
大腿骨がつながるくぼみ。
ビューポイント
骨盤を上から見る
骨盤底筋群
骨盤の底をふさぐようについている筋肉。
腰椎
寛骨
仙骨
肛門につながる穴。
恥骨結合
左右の恥骨が繊維軟骨でつながっている。

脳と感覚器を守る&表情をつくる

頭・顔の骨と筋肉

頭の骨は、ジグソーパズルのようにさまざまなパーツが組み合わされてできている。パーツの数は約23個。顔をつくっている骨も、頭の骨の一部だ。

頭の骨全体は、**頭蓋骨**と書いて、ふだんは「ずがいこつ」といっているが、専門的には「とうがいこつ」という。頭蓋骨のやくわりは、からだの中枢である脳と、顔にあつまっている目、鼻、口、耳という感覚器を守ること。筋肉は、見るために目を動かしたり、食べるために口を動かしたりするほか、笑ったり顔をしかめたりして、感情をあらわすしごともしている。

ビューポイント **頭蓋骨を分解して見る**

前頭骨 ひたいの骨。頭のほぼてっぺんまである。

眼窩 目がおさまっているところ。

鼻腔 鼻の穴があいているところ。

下顎骨 下あごの骨。

外耳孔

頬骨

上顎骨 上あごの骨。

ビューポイント **頭蓋骨を下から見る**

後頭骨

側頭骨

脊髄（→P2
とおるための

下顎骨

篩骨 目と鼻のあ
だの骨。眼
と鼻腔に面
ている。

蝶形骨 目の奥にある骨。

顔の筋肉を見る（正面）

前頭筋
まゆ毛を上げたり、おでこに横じわをつくったりする。

鼻筋
鼻をちぢめたり広げたりする。

眼輪筋
まぶたを開いたりとじたりするときにつかう。からだの中でいちばん速く動く筋肉。

頬骨筋
上くちびるや口角（口のはし）をもち上げる。

頬筋
口角を横にひっぱって口をとじる。

笑筋
口を横にひっぱる。笑顔になるときにつかう筋肉のひとつ。

口輪筋
口をとじるときや、くちびるを引きよせて口をとがらせるときにつかう。

オトガイ筋
下あごの先端の皮膚をもち上げる。梅干しのようなしわをつくるときの筋肉。

頂骨
のてっぺんから後ろ側骨。左右1つずつのパツがしっかり組み合われている。

頭骨
の後ろ側の骨。脊髄がおる穴があいている。

頭骨
の左右に1つずつある。耳孔（耳の穴）があいる。

骨
のつけ根の骨。つけ根が骨で、鼻の真ん中頭にかけては軟骨にている。

大泉門と小泉門

生まれてまもない赤ちゃんの頭には、まだ骨になりきっていないやわらかい部分、**泉門**がある。生まれてくるときは、ここで骨が重なりあって、せまい産道をとおってくる。

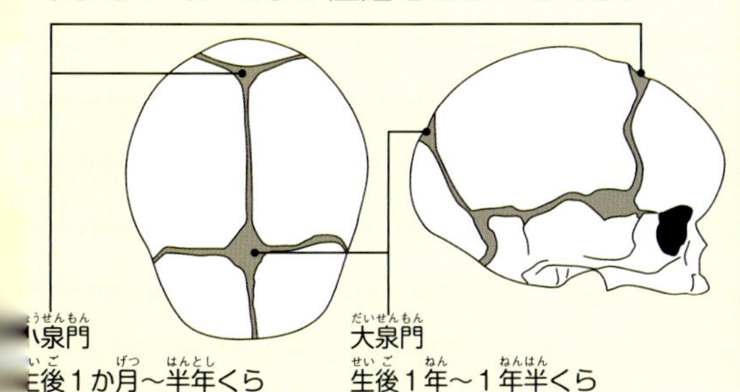

小泉門
生後1か月～半年くらいで骨になる。
大泉門
生後1年～1年半くらいで骨になる。

似ているけどちがう、「歯」と「骨」

歯は、骨とよく似て見えるが、骨ではない。骨は毎日生まれ変わっていて、折れても元にもどる（→P7）。歯は、1回だけはえ変わって新しい歯になるが、折れたら元にはもどらない。

骨も歯も、ほとんどがカルシウムでできているので、見ためや、かたいところは似ている。ちがうところは、骨には血管があって血液が流れているけれど、歯には血管がないことだ。血液が流れていないので、歯は生まれ変わることができない。

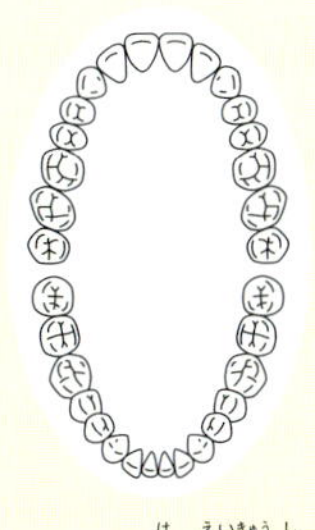
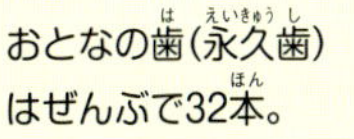
おとなの歯（永久歯）はぜんぶで32本。

子どもの歯（乳歯）は20本。

いのちのために自動的に動く

不随意筋

骨格筋は、じぶんの意志で動かすことができるが、からだには、じぶんの意志では動かせない筋肉もある。意志によって動かせる筋肉を**随意筋**、動かせない筋肉を**不随意筋**という。骨格筋は随意筋で、胃、腸、血管、心臓などの筋肉が不随意筋だ。

随意筋と不随意筋は、筋肉のつくりもちがい、骨格筋は**横紋筋**、胃、腸、血管などは**平滑筋**、心臓は、**心筋**というとくべつな筋肉でできている（→ P8）。

不随意筋は、頭で考えなくても自動的に動いてくれる。胃は、食べものが入ってくると、かってに動いて食べものを消化して腸へ送りだすし、それを受けとった腸もかってに動く。血管の筋肉は、しらないうちに血管を広げたりせばめたりして血液の流れを調節している。心臓は、ねむっているときも休まずに動いている。

こんなふうにはたらいている不随意筋は、生命を維持するための筋肉といえる。

消化器は、おもに不随意筋で動く

食べたものを吸収しやすい形にすることを消化といい、消化して栄養を吸収する器官を消化器という。消化器は、口、喉、食道、胃、小腸、大腸が1つにつながった管になっている。このうち、口の中で食べものをくだいて押しつぶすときは随意筋をつかい、飲みこむときは、随意筋と不随意筋の両方をつかう。そこから先は、すべて不随意筋のしごとだ。

ビューポイント **消化器を見る（正面）**

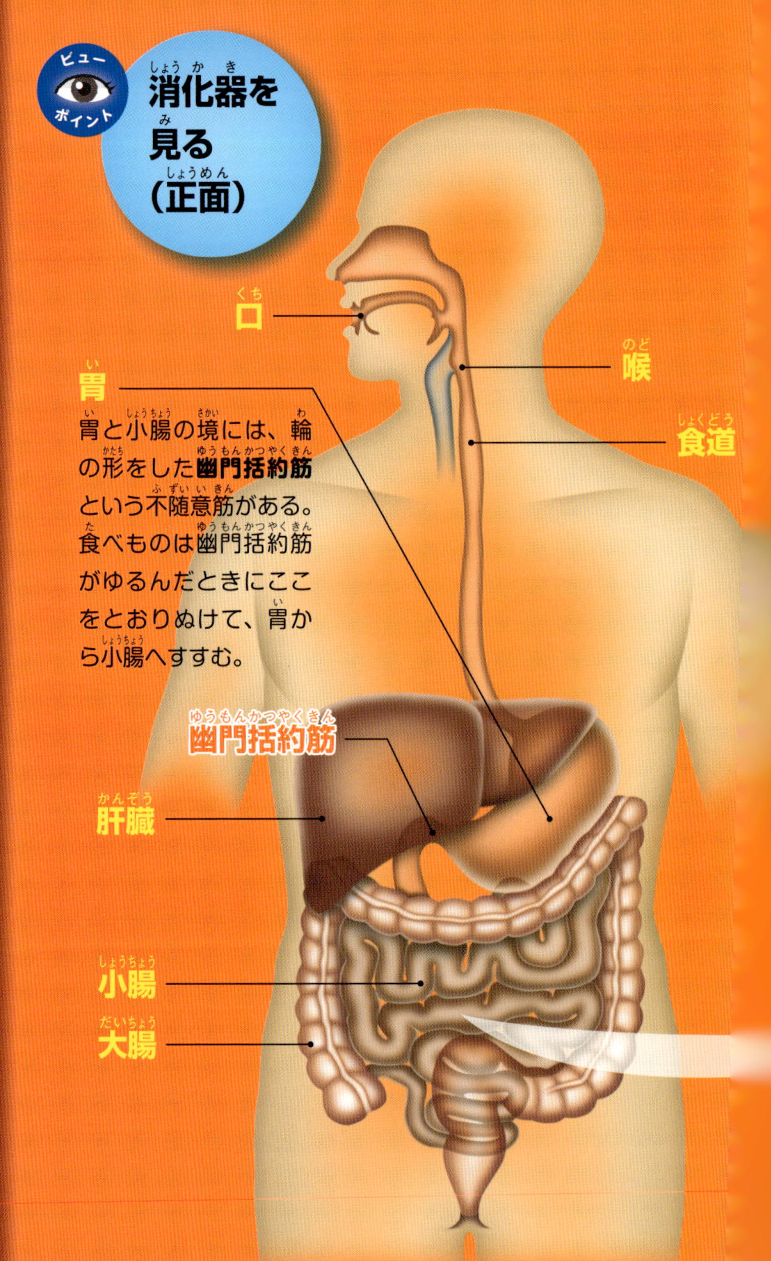

口
喉
食道
胃
胃と小腸の境には、輪の形をした**幽門括約筋**という不随意筋がある。食べものは幽門括約筋がゆるんだときにここをとおりぬけて、胃から小腸へすすむ。
幽門括約筋
肝臓
小腸
大腸

ビューポイント

心臓と血管を見る

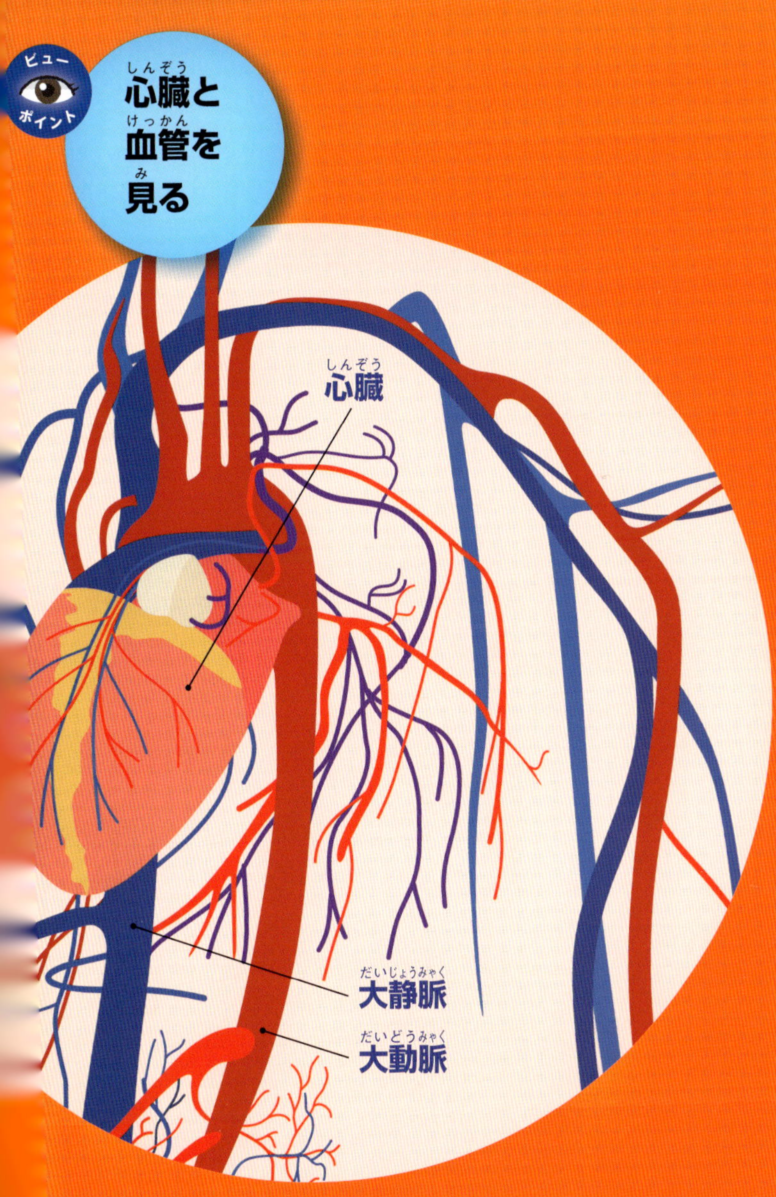

心臓は休みなく血液を循環させている

心臓は、血液を全身にいきわたらせるために、ポンプのようにはたらいている。からだに必要な酸素と栄養をふくんだ血液は、心臓の力でからだのすみずみまで運ばれていく。心臓が止まれば、酸素がたりなくなった脳のはたらきが止まり、全身のはたらきも止まってしまう。

手や足は、かってに動いてしまってはこまるし、心臓は、ねむっているときでもかってに動いてくれなければこまる。随意筋と不随意筋というちがう筋肉があることが、からだのしくみのよくできている点だ。

不随意筋をコントロールする「自律神経」

不随意筋は、かってに動いているといっても、じつはそれをコントロールしている**自律神経**という神経がある。

自律神経には、活発に過ごすときにはたらく**交感神経**と、寝ているときやリラックスしているときにはたらく**副交感神経**の2つがあって、バランスをとり合っている。このバランスがくずれると、不随意筋のはたらきもおかしくなってしまう。不随意筋によって動く血管がちぢんで血圧が高くなったり、腸のはたらきが悪くなって便秘や下痢をしたりすることもある。だから健康のためには、活発な時間とリラックスした時間のバランスがとても大切だ。

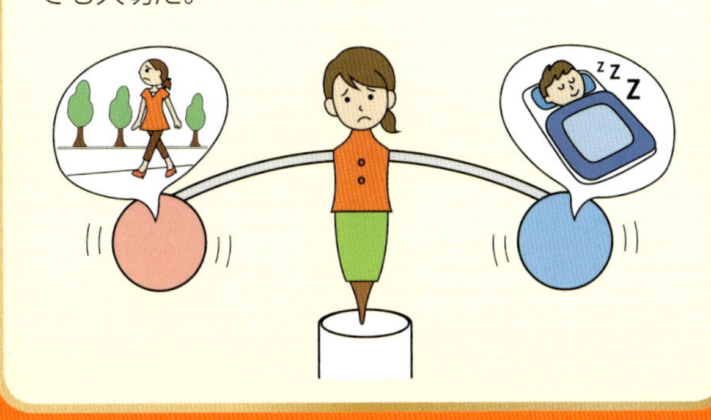

食べものを運ぶ、蠕動運動

胃や腸に食べたものが入ると、その後ろ側の筋肉ギュッとちぢみ、前側の筋肉がゆるんで、食べたのが先へ先へと送られていく。チューブのなかみしぼり出すようなしくみだ。この動きを蠕動運動いい、不随意筋によっておこなわれている。

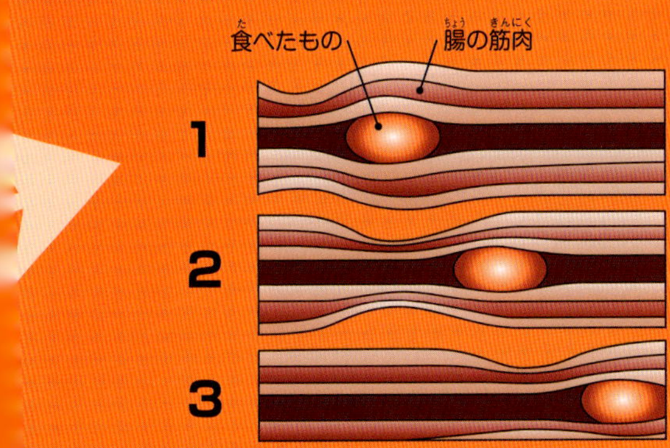

マルチアングル人体図鑑 **骨と筋肉**

さくいんと用語解説

あ

アキレス腱……19

ふくらはぎの筋肉をかかとの骨につなげている、からだの中でいちばん大きな腱。

アクチン……10, 11

筋原線維を作っているたんぱく質のひとつ。線維（フィラメント）のように細いので、アクチンフィラメントともいう。

足……18
脚……18
あぶみ骨……6
烏口突起……14
烏口腕筋……17
横隔膜……21
黄色骨髄……7
横紋筋……9, 28

骨格筋のこと。横じま模様があるのでこうよばれる。

オトガイ筋……27

か

外側広筋……19
外側側副靭帯……19
外側半月板……19
外腹斜筋……8, 21
海綿質……6, 7
下顎骨……6, 26
下肢……18
下腿……18
肩関節（肩甲上腕関節）……15
滑液……13
滑膜……13
下鼻甲介……6
感覚器……26

見る、聞く、かぐ、味わう、ふれるなど、外の情報を受けとって脳に伝える器官。目、耳、鼻、舌、皮膚など。

寛骨……4, 24, 25
関節……12
関節窩……13
関節腔……13
関節頭……13
関節軟骨……13, 19
関節包……13
眼輪筋……8, 27
基節骨……15
胸郭……20
頬筋……27
頬骨……6
胸骨……4, 20
頬骨筋……27
胸椎……20, 22
棘筋……23
棘突起……23
筋原線維……10, 11
筋線維……8, 10
筋線維束……10
筋束……10
筋頭……11
筋尾……11
くるぶし……18
脛骨……4, 18
頸椎……22
腱……13

筋肉を骨につけるための、じょうぶな線維組織。

肩甲挙筋……16
肩甲骨……5, 14, 16
肩峰……14
口蓋骨……6
後十字靭帯……19
後頭筋……9
後頭骨……26
広背筋……9, 16
口輪筋……8, 27
股関節……18, 25
骨格……4
骨格筋……8, 9
骨芽細胞……7
骨幹……6
骨髄……7

骨の中の空どうを満たしているやわらかい組織。ここで血液がつくり出される。骨髄をもっている骨ともっていない骨がある。

骨端……7
骨盤……4, 5, 24
骨盤底筋群……25
骨膜……7

さ

最長筋……23
鎖骨……5, 15, 20
三角筋……8, 16
指骨……5, 15
趾骨……5, 18
篩骨……6, 26
膝蓋骨……4, 18
尺骨……4, 14, 15
尺骨神経……1
手根骨……5, 1
上顎骨……6, 2
小胸筋……17, 2
笑筋……2
上肢……1
上肢帯……1
小泉門……2
上腕……

腕の肩からひじまでの部分。ふだんの会
では「二の腕」という。

上腕骨……4,
上腕三頭筋……8, 11,
上腕二頭筋……8, 11, 16,
鋤骨……
自律神経……

不随意筋を動かすなど、からだのはた
を自動的にコントロールする神経。

心筋……8, 9,
靭帯……13,

骨を正しい位置にたもつはたらきをす
じょうぶな線維組織。

随意筋……
髄腔……
赤色骨髄……
脊髄……22, 23,
脊柱……5, 22,

背骨のこと。頸椎７個・胸椎 12 個・
５個・仙骨１個・尾骨１個の 26 個
でできている。

脊柱起立筋……9, 22,
赤筋……
舌骨……
背骨……5

線維軟骨……12, 24, 25

軟骨の種類のひとつ。線維が多く、引っぱられる力に強い。

前鋸筋……8, 21

前脛骨筋……8, 19

骨……4, 22, 24, 25

指屈筋……17

十字靭帯……19

動運動……29

頭筋……8, 27

頭骨……26

腕……14

腕のひじから手首までの部分。ひじから上の部分は上腕という。

指伸筋……17

帽筋……9, 16

根骨……5, 18

頭骨……26

筋……8

た

胸筋……8, 16, 21

門……27

……18

骨……4, 18, 25

四頭筋……8, 19

直筋……19

二頭筋……19

筋……9, 24, 25

転筋……8, 19

筋……25

……6

指外転筋……17

……8

……24

結合……12, 24

質……6, 7

広筋……19

骨……5, 15

骨……15

骨……5, 18

……15

骨……6, 26

長骨……6

腸骨筋……25

長母指屈筋……17

長母指伸筋……17

腸肋筋……23

椎間板……23

椎骨……22

土ふまず……19

頭蓋骨……4, 26

T細管……11

橈骨……4, 15

頭頂骨……26

な

内側広筋……19

内側側副靭帯……19

内側半月板……19

内腹斜筋……21

軟骨……19, 23

骨格の一部だが、骨よりもやわらかく弾力がある。関節部分で骨のはしをおおっている関節軟骨、椎骨の間の椎間板、肋軟骨などのほか、鼻、耳、恥骨結合部などに軟骨がある。

二頭筋……11

は

歯……27

背側骨間筋……17

破骨細胞……7

白筋……8

ハバース管……7

緻密質にあり、中を血管、神経、リンパ管がとおっている。

ハバース層板……7

ハムストリング……9, 19

半月板（関節半月）……19

半腱様筋……19

半膜様筋……19

鼻筋……27

腓骨……4, 18

尾骨……4, 22, 24, 25

鼻骨……6, 26

腓腹筋……9, 19

ヒラメ筋……9, 19

フォルクマン管……7

腹直筋……8, 21

不随意筋……28

平滑筋……8, 9, 28

扁平骨……6

縫合……12

縫工筋……8, 19

紡錘状筋……11

ま・や・ら・わ

末節骨……15

ミオシン……10, 11

アクチンと一緒に筋原線維を作っているたんぱく質。線維（フィラメント）のように細いので、ミオシンフィラメントともいう。

ミトコンドリア……10

幽門括約筋……28

胃の出口の部分（幽門）にある、輪の形の筋肉。消化した食べものを小腸へ送るとき以外は、括約筋がちぢんで出口を閉じている。

腰椎……22, 25

涙骨……6

肋軟骨……20

肋間筋……20, 21

肋骨……4, 20

腕橈骨筋……17

考えてみよう

「ドーピング」は寿命をちぢめる！

世界で活躍するスポーツ選手たちは、毎日のトレーニングによってからだをきたえ、一般の人よりも発達した筋肉や、瞬発力、持久力などを身につけていきます。その一方で、薬物をつかった「ドーピング」によってからだを変える人がいます。ドーピングはスポーツのルールできびしく禁止されていることですが、それはなぜでしょうか？

ドーピングで使用される薬には、筋肉を増やすもの、神経を興奮させるもの、心拍数を抑えるものなどがあります。それらの薬をつかうと、トレーニングで身につけるのとは違い、からだが耐えられる範囲をこえた影響があらわれます。心臓に大きすぎる負担がかかったり、ホルモンのバランスがくずれるといったことです。その結果、健康をそこねるだけでなく、寿命をちぢめることにもなります。

スポーツ競技を見ていて感動するのは、それが健康的な美しさとつながっているからではないでしょうか。強くなりたい、うまくなりたいという気持ちがどんなに強くても、人の一生をだいなしにするような薬は、けっして使用してはいけないのです。

マルチアングル人体図鑑　**骨と筋肉**

2017年8月25日　第1刷発行
2021年4月 1 日　第2刷発行

監修／高沢謙二
絵／松島浩一郎
文／川島晶子（ダグハウス）
編集協力／岩原順子
アートディレクション／石倉昌樹
デザイン／隈部瑠依　近藤奈々子（イシクラ事務所）

発行所／株式会社ほるぷ出版
発行者／中村宏平
〒102-0073 東京都千代田区九段北 1-15-15
電話／03-6261-6691
https://www.holp-pub.co.jp

印刷／共同印刷株式会社
製本／株式会社ハッコー製本

NDC660　210×270ミリ　32P
ISBN978-4-593-58756-8　Printed in Japan